新潮文庫

三十光年の星たち

上　巻

宮本　輝著

新潮社版

9803

三十光年の星たち

上巻

第一章

これから幾人かの人を捜す旅に出るので、すぐに用意をしなさい。旅は四、五日で終わるかもしれないし、二、三週間かかるかもしれないから、そのつもりで旅仕度をするように。

どこへですかって、行く先がわからなければ車の運転はできないというのか。いますぐですか、だと？　そうだ、いますぐだ。きみは、何でも仰言《おっしゃ》るとおりにいたしますとぼくに誓ったではないか。

十時にこの小路《こうじ》を出たところに車を停めて待っていろ。もしぼくを待たせたりしたら、先日の取り決めはご破算だし、きみの人生は終わったも同然ということになる。

佐伯《さえき》老人からの電話を切ると、坪木《つぼき》仁志《ひとし》は持っている携帯電話を壁に投げつけかけたが、かろうじて思いとどまり、六畳一間の、ほとんど褐色に変色した畳の上にうずくまるように坐《すわ》り込んだ。

もしこのまま逃げ出して行方をくらましても、佐伯平蔵《へいぞう》という金貸しのじじいは追ってこないだろう。逃げればいいのだ。金は借り得ということになる。

金融業としての認可を受けていない、もぐりの強欲金貸しは、これまでに法外な金利で儲《もう》けて、うなるほどの金を貯《た》め込んでいるはずだ。あいつが、この京都の下京区《しもぎょう》の、小路の奥のさらに窮屈な小路に並ぶ木造の平屋にひとりで暮らしているのは、世を忍ぶ仮の姿なのだ。俺が八十万円を踏み倒したとて、痛くも痒《かゆ》くもなかろう……。

坪木仁志は本気でそう考えて、身ひとつで逃げ出すにしても、安物の洋服箪笥《だんす》のなかには背広もあるし、二着のコートとアノラックも、夏用冬用併せて六本のズボンも、セーターやTシャツやジーンズやチノパンも入っていると思った。

テレビだってまだまだ映るし、冷蔵庫や電子レンジも使える。小さな机の抽斗《ひきだし》には、自分にとって大事なものがある。

「きみの人生は終わったも同然？　やくざを使うて俺を殺そうとでもいうのか。えらそうなこと、ぬかすな。何様のつもりやねん。殺せるもんなら殺してみい」

胸のなかでそう言いながらも、仁志は、肩掛け用の太いベルトの付いたボストンバッグに、下着や靴下や薄手のセーターを詰め込んだ。十時まで、あと七分しかなかったのだ。

仁志は建てつけの悪い戸を閉めて鍵《かぎ》をかけ、隣の佐伯老人の家に目をやってから、駐車場へと走りだした。

幅二メートルほどの小路をそのまま真っすぐ行くと行き止まりで、地蔵を祀《まつ》る小さな祠《ほこら》がある。そこは少し奥まっているので、初めてこの小路に足を踏み入れた人は、道はそっちのほうにも伸びているものと思い込んで、二、三歩行って驚いて立ち止まることになる。

祠は年中日の当たらない場所にあって、濡《ぬ》れると滑りやすい形の不揃《ふぞろ》いな石畳とほとんど同じ色のために、すぐにはそれと気づかず、体当たりの格好でぶつかりかねない。

祠の前を左に曲がると、右側に仁志や佐伯平蔵の家と変わらない形の平屋が五軒並んでいる。

この五軒には、かつては、皮革製品を造る美奈代《みなよ》の工房、大場達矢《おおばたつや》という漆器屋の住まい、三味線を教える七十二歳の元芸妓《げいこ》、染色屋に勤める若い夫婦、そしてこれらの家の家主である桜井《さくらい》夫婦が住んでいたが、いまは美奈代の工房は空家で、染色屋の夫婦が引っ越していったあとを大場が漆器具の倉庫として借りている。

家主の家の前で小路は東へと方向を変え、それがあるためにかえって歩きにくい石畳が十メートルほどつづく。その小路の左右にも家があるが、いまはどれも空家だ。

その道も行き止まりになっていて、突き当たりを右に曲がり、通りに面した法衣店の壁沿いの、幅一メートルあるかないかの小路を抜けてやっと通りに出るのだ。通りといっても西行きの一方通行で、小路とその通りのT字型の境の真ん中には、おとなの腰の高さくらいの石の塚が埋め込まれている。

「車止め」としか思えないのだが、何のためにそんなものが必要なのか。ここで暮らすようになって約八カ月が過ぎた仁志にもわからない。

「人間止め、やがな。自転車に乗ってる人も、ここで降りなあかんしなァ。他所《よそ》者は入るなという無言の意思表示や」

酔って帰って、昔の街道に設置された一里塚に似た石に膝《ひざ》や大腿部《だいたいぶ》の外側をぶつけるたびに、仁志はそうつぶやくのが常になっていた。ちょっとおどけた口調でその石のてっぺんを掌《てのひら》で叩《たた》かないと、痛みで腹が立って、どうにかして引き抜けないものかと本気で格闘を始めかねないのだ。

これまでに二、三度、仁志は夜中にこの低い床柱《とこばしら》のような石を引き抜こうと試みたことがあった。石の角の丸みや色で、設置されてから二十年や三十年どころではなさそうな石は、よほど深く埋められているらしく、仁志の力では微動もしなかった。

仁志は通りを東へと走り、呉服卸店の隣の有料駐車場へ行くと、去年の春に買った中古車のトランクにボストンバッグを放り込み、「人間止め」の前まで運転して、腕時計を見た。九時五十七分だった。

ステッキをついた佐伯平蔵が、幾分顔をしかめながら小路に姿をあらわしたので、仁志は、重そうな旅行鞄《かばん》を持ってやろうと運転席から降りた。

佐伯は白いポロシャツの上に茶色のジャケットを着て、左手でステッキをつき、右手で旅行鞄を持っていた。ステッキを握った手のほうの腋《わき》にぶ厚い紙袋を挟んでいる。

顔つきは七十五歳にしては若く見えるし、京の町家《まちや》と呼んだりしたら本物の町家に住む京都人が怒るであろう粗末な借家にひとり住まいをしている悪辣《あくらつ》な高利貸しとは誰も思えない澄んだ目を持っている。

仁志が小走りで近づき、鞄を持とうと手を伸ばした瞬間、

「なんて格好で来るんだ。きみは佐伯平蔵の車の運転手なんだ。きちんと背広を着てきなさい」

と佐伯は言った。

恐しい剣幕で怒鳴られたわけではなかったのに、仁志は、身がすくむとはこういう

ことかと思うほどの、一種の恐怖に襲われ、しばらく口がきけなかった。

けれども、ひと呼吸置く時間ののちに、怒りがこみあげてきて、

「車はぼくのです。佐伯さんを乗せて運転はしますが、この車の所有者は佐伯さんとは違います」

と言った。

言ってから、とんでもない失態を犯した心持ちになり、

「すぐに着替えてきます。車のなかで待ってて下さい」

と震える声で言いながら、小路を走って家へと戻った。俺は、あのじじいから借りた八十万円分を仕事で返す約束をしただけなのだと仁志は思った。

佐伯が求めるときに、佐伯を自分の車に乗せて、行きたいというところに運んでやる。取り決めはそれだけではないか、と。

車を使ってあちこち動きたいときだけ、佐伯は俺の車と、運転手としての俺を使い、その日当分を八十万円から差し引いていくのだ。その際に、きちんと背広を着てネクタイもしめるなんて取り決めた覚えはないぞ。

坪木仁志は心のなかで文句を言いながらも、祠の前で小路を右に曲がり、自分の借家に戻ると背広に着替えた。

五月の連休が終わったばかりで、冬物と夏物のどちらにしようかと迷ったが、しまいこんである夏物を出すのが面倒で、洋服簞笥に吊《つ》るしたままの冬物を選び、三本しかないネクタイのうちの一本をしめて、残りの二本を背広のポケットにねじ込むと、車のところへと戻った。夏物のうちの一着は、仁志には分不相応なくらいに高価なイタリア製なので、それを着る気はなかった。

後部座席に坐って待っていた佐伯平蔵は、

「早かったねェ。たったの四分で、セーターとジーンズから、背広とネクタイに着替えて来るとは、なかなか敏捷《びんしょう》だね」

と言ったが、顔には微笑のかけらもなかった。

「靴下は穿《は》き替えただろうね。まさか、さっき穿いてたおかしな縞模様《しまもよう》の靴下のままじゃないだろうね」

「いえ、靴下は穿き替えてませんけど……」

「きちんと背広を着てネクタイをしめた男が、白と黄の縞模様の靴下などを穿くもんじゃないよ。ああ、こいつはその程度の男かと、見る人は見るんだ。無地の、黒っぽい靴下に穿き替えてきなさい」

理不尽な因縁をふっかけられているような気がして、仁志は、怒りをあらわにさせて、何か言い返そうと後部座席の窓から顔を突っ込んだが、佐伯に見つめ返された途端、高いところに登って下を覗《のぞ》いたときに生じる鳥肌に似たものを股間《こかん》に感じた。

「穿き替えてきます」

そう言って、仁志はまた家へと走った。

この妙な入り組み方の小路を行ったり来たりしたら目が廻る。

あの「人間止め」のところからだと、まず真っすぐ行って、突き当たりを左に曲がり、次の突き当たりを右に曲がり、祠の前をまた右に曲がるのだ。

どの小路も短くて極端に狭いので、初めての人は、どれもみな行き止まりの道と思い込んで、途中で引き返してしまうのも無理はない、と仁志は思った。

無地の黒っぽい靴下は一足しか持っていなかった。仁志はそれに穿き替えて、大工が使う曲尺《さしがね》が二つ三つ適当につないだ形となって京都の下京区の一角に打ち捨てられたかのような小路を、

「ほんまに目が廻って来たがな」

と言いながら走った。

「さあ、どこへ行きますか?」

運転席に坐り、息を整えてから、仁志は訊《き》いた。

「まず、福知山《ふくちやま》だ」

と佐伯は答え、ぶ厚い紙袋のなかから古いノートを出した。

「JRの福知山駅へ行ってくれ」

仁志はカーナビを設定し、道順を示す画面を見た。堀川五条から国道9号線を亀岡《かめおか》のほうへと行くのだとわかった。

「亀岡への一般道を走って、京都縦貫自動車道の沓掛《くつかけ》インターまで行って、そこから丹波《たんば》インターまでは高速ですけど、丹波インターからはまた国道9号線に降りて、福知山駅まではずうっと一般道ですねェ。ぼくのカーナビは、それがいちばん速いと指示してます」

「明るいうちに着くかい？」

「勿論《もちろん》、着きます。推定所要時間は二時間となってます」

「便利な機械だなァ。途中、どこかで昼食をとっても、二時くらいには着くねェ」

「道が混んでなければ、ですが」

「急ぐ旅じゃあないよ。『山笑う』季節だ。丹波の山々を眺めながら、ゆっくり行こう」

仁志は車を発進させて、一方通行の道を西へと行き、大通りを右折した。

「四、五日の予定ということは、今夜も、あしたの夜も、どこかに泊まるんですねエ」

と仁志はバックミラーに映っている佐伯に話しかけた。

「うん、ぼくは旅館てやつが嫌いでね。窮屈でもビジネスホテルがいいな」

そう言いながら、佐伯は開いたノートに目をやっていた。

この人の口からは、ほんのわずかにせよ、関西訛《なま》りというものがまったく出ないなと仁志は思った。京都の下京区の、入り組んだ小路の奥の、さらに奥まったところの借家に住んで三十五年というのに、と。

堀川五条の交差点を左折して国道9号線に入り、カーナビの画面を見ると、京都縦貫自動車道の沓掛インターまでは道なりに行けばよかった。

そんなことは自分で調べろと叱《しか》られそうな気がしたが、

「あのう……」

と仁志は佐伯老人に話しかけた。おもねるわけではなかったが、仁志は佐伯と何か会話をしたかった。

順調に行けば四、五日、時間がかかれば二、三週間という車での旅なのだから、多少は人間同士として親しくなっておかなければ息が詰まる気がしたのだ。

「福知山は京都府ですか？　兵庫県ですか？　ぼくは行ったことないんです」

佐伯は老眼鏡を鼻眼鏡にしたまま、バックミラーのなかの仁志を見やり、

「さあ、どっちかな。ぼくも知らないんだ」

と答えて、初めて笑みらしきものを浮かべ、紙袋から「関西道路地図」という本を出した。

「ああ、京都府だね。でも少し南へ下ると兵庫県だ」

それだけ言って、佐伯は再び表紙も中身も変色してしまっている古いノートに視線を移したので、会話はそれきりつづかなくなった。

いいお天気ですねェ、なんて暢気《のんき》なことを言おうものなら、またあの凄《すご》い目で睨《にら》まれる。あの目で射すくめられるのは、どうも体に良くない。いったいあの目の妙な威力の源は何なのだ。まるで深海に日が差したような色だ。

そんなことを考えながら車を走らせているうちに、仁志は、それにしてもよくもまあ、この俺に八十万円を貸してくれたものだと思った。

隣に住んでいるというだけで、日頃会話を交わしたこともなく、担保となる何物も持っていないまだ三十歳のこの俺に、即座に八十万円を用立ててくれる高利貸しなんて、この世にいるだろうか。

俺が、利子はどのくらいかと訊いたら、この金貸しは、約束の期日までに返したとき、どのくらい礼金を払おうかと自分で考えてくれと答えた。

いや、それは困る。きちんと金利を提示してくれないと、完済したあとで厄介事が生じる。俺は喉元《のどもと》まで出かかったその言葉を口にしなかった。俺は、商売のための急場の運転資金が調達できたことで、ほっとしたし、佐伯の気が変わるのを恐れたのだ。

佐伯は、金を借りに来た俺から、どんな商売をしているのかを訊き、俺が持参した幾つかの商品を手に取った。

美奈代の手造りの女性用革製品は、財布、小銭入れ、筆記具入れ、眼鏡ケース、ブックカバー、肩掛け式のポシェット、そして、ある画家の注文に応じて製作したスケッチ旅行用の鞄だった。

佐伯は、俺が畳に並べた赤や黄やコバルトブルーの革製品を見て、

「きれいな色ですねェ。革をこんなに鮮やかな色に染めるのは、難しい技術なんでしょうね」

と言った。

俺は、これを造るための工房は、そこの大場さんの隣の家なのだと言った。自分の相棒が、その狭い借家で造っている、と。

佐伯は、相棒は男か女かと訊き、俺が女だと答えると、そうだろう、これは女の仕事だと言った。

俺と佐伯との会話はそれだけだった。

二時間後に来てくれというので、そのようにしたら、銀行の紙袋に入った八十万円と借用書が用意されていた。

金を借りたのは去年の十二月十日。返済期日は半年後の六月十日。

期日に全額でなくても、その間に二十万円、三十万円と、返せるぶんだけ入れてもいいと佐伯は言った。

ただそれだけ。

しかし、商売は年が明けて三カ月もたたないうちに、どうにもこうにも成り立たなくなった。

美奈代が何日も夜なべ仕事で造った革製品は、月に三、四点しか売れない。それが原因のいさかいは日ごとに烈《はげ》しくなり、傷が大きくならないうちにと、美奈代は何の相談もなく工房を閉め、俺が留守のあいだに、仕入れた革や、革を縫製するためのミシンや、仕事に必要な道具類すべてと一緒に姿をくらましてしまった。

すぐに携帯電話を替えたらしく、どうにも連絡がつかない。

俺には、茫然《ぼうぜん》自失している暇もなかった。商売のために借りた金は、佐伯からの八十万円だけではなかったからだ。

商売を立ち上げるときの資金の大半は、美奈代が二十歳のときから十二年間貯《た》めてきたものだった。だが、それ以外の金は俺の名で借りたのだ。佐伯からの八十万円を除くと百二十万円と少し。みな利息のつく金だ。

それをまず先に何とかしなくてはならないが、大阪の二流の私大を出て健康食品の販売会社に就職し、上司とケンカをして二年で辞めて以来、派遣社員とか契約社員とかであちこちの会社を転々として三十歳になった俺には、百二十万円という借金は首を吊りたくなる額だった。

二十七歳のときに、お前の顔なんか見たくもない、今後、俺はお前を息子とは思わないので、お前も俺を父だとは思うなと言われていたが、すがるのは親父《おやじ》しかなかった。

泣くようにして頼み込んだ俺に、

「これは縁切り代だ。お前がこれからどうなっていくか、俺には手に取るようにわかる。ちょっとした辛抱もできないまま、そのときそのときの、出合い頭の気分で生きていけ。もうきょうからは本当に親でもなければ子でもない」

と親父は言って、百二十万円をくれた。

どうしてあのとき、佐伯から借りたぶんも上乗せしておかなかったのだろう。どうせ勘当になるのだ。百二十万円も二百万円も同じではないか。百二十万円なら用立ててくれても、二百万円なら断られて追い出されるような気がしたのだ。

俺は次男坊だが、親父には、理想的に育ってくれた長男と三男がいる。俺と親子の縁を切っても、どうということはないのだろう。

俺は、自分の車を売って、それで佐伯に八十万円を返そうと思い、十日前に中古車屋へ行った。無論、八十万円で売れるとは考えなかったが、業者がつけた値段は三十万円だった。いくらなんでも足元を見過ぎだと、別の業者にあたってみたら、こんどは二十七万円だという。

十軒の業者を廻っているうちに、俺の車の価格は下がりつづけて、最後は二十万円を切ってしまった。

仕方がない。たとえ三十万円だけでも返して、残りは期日の六月十日までに何とかしよう。

俺はそう思い、佐伯の家に行き、事情を説明した。

とりあえず三十万円を返済するとだけ言えばいいものを、どういうわけか、俺は商売の失敗も、相棒の女が行方をくらましたことも、全部喋《しゃべ》ってしまったのだ。なぜそんな余計なことを正直に口にしたのか、自分でもよくわからない。

　黙って俺の話を聞いていた佐伯は、若いころに怪我《けが》をした膝《ひざ》が最近痛むようになり、日によっては、この家から車の通る一方通行の道まで出るにも難儀をすると言い、俺が思いも寄らなかった提案をもちかけたのだ。

　きみがいま乗っている車を売らずに、ぼくに使わせてくれないか、と。ぼくも車の運転免許証は持っていて、五年に一度の更新もしてきたが、最後にハンドルを握ったのは二十八年前だ。運転免許証は身分証明書代わりに財布に入れているにすぎず、七十五歳になった年寄りが自分で車を運転してはいけないと思っている。

　ことしは、いささか思うところがあり、幾人かの人に逢《あ》うために遠方まで行かなければならなくなった。この脚では、電車やバスを乗り継いでの旅は難しい。

　そこで提案だが、きみの車にぼくを乗せて目的地まで運んでくれないか。きみを運転手として使う一日の日当を幾らにするかは、ぼくにまかせてもらうとして、その日当を貸した金から引いていくこととする。そうすれば、きみは自分の車を売ってしまわなくてすむし、ぼくの運転手をつづけることで自動的に借金も返済できる。

　俺は一も二もなく承諾してしまった。あまりにもありがたい提案だと思って、先のことを考えなかったのだ。

　佐伯の運転手をしているあいだは、もし新しい就職先がみつかっても、そこで働くことはできないどころか、就職活動をする時間もないのだ。

　それどころか、日当分をすべて借金返済分として引かれたら、俺はどうやって食っていくのか。驚くほど安いといっても、小路の奥の借家の家賃は払わなくてはならないし、光熱費も必要だ。

　それなのに、俺の財布には二万八千円しかなく、預金通帳の残高は三万円とちょっとだ。

　ありがたい申し出ではあるが、と現状を説明して、とにもかくにも、やり直すための職探しを優先したいので、この話はなかったことにしてくれと言うために佐伯の家の格子戸《こうしど》に手をかけたのだが、それなら貸した金を全額いますぐ返せと言われそうな気がして、戸をあけられないまま日が過ぎてしまったのだ……。

　坪木仁志は、そんなことをあれこれ思い浮かべながら、もう佐伯を車に乗せて出発してしまったのだから、今回の四、五日の旅を終えてから、あらためて相談しようと決めた。

　桂川《かつらがわ》を渡り、北西の方向に嵯峨野《さがの》らしい樹々《きぎ》の先端がちらついたころ、

「福知山にいてくれたらいいんだけどね」

と佐伯が話しかけてきた。

「最初に逢う人がですか?」

と仁志は訊いた。

「うん、五十五歳の女性だ。子供がふたりいてね。ご主人と死に別れてから、もう三十二年だなァ。子供さんも大きくなったことだろう。再婚せずに、女手ひとつで、ふたりの子を育ててあげたんだ。ご主人がぼくから借りた金を毎月こつこつと返済しながらね。ただの一回も滞ることはなかったよ。その月によって、三千円しか返せないときもあれば、八千円のときもある。でも、必ず現金書留で送ってくるんだ。三十二年間だ」

「その人は、やっと完済できたんですか?」

仁志の問いに、

「いや、まだ少し残ってる。とにかく、毎月の返済額が少ないからね」

佐伯が貸した額は幾らなのか。残金はどのくらいなのか。

仁志は訊いてみたかったが、こういうことをすぐに知りたがるのが、俺という人間の軽さなのかもしれないと思い、

「三十二年間て、長いですねェ」

とだけ言った。

「いや、この人は、長いなんて、これっぽっちも思わなかっただろうな」

そう言って、佐伯は再び黙ってしまったが、京都縦貫自動車道の沓掛インターに近づいたとき、広い駐車場を持つ喫茶店を指差して、

「あそこでコーヒーを飲もう」

と言った。

仁志は、脚の悪い佐伯のために、車を喫茶店のドアの前に停め、佐伯が店内に入るのを見届けてから、いったん道路へと出てUターンして駐車場へ入りながら、まさか、コーヒー代はワリカンだなんて言わないだろうなと思った。もしくは、コーヒー代は貸した金に上乗せしておく、とか……。

とにかく俺は、一日も早く生活の方法をみつけなければならないのだ。妻も子もいない気楽な身とはいえ、どんなに倹約しても、あと一カ月暮らせるだけの金はない。

もう仕事の選り好みはしていられないし、将来を見すえての職探しをする暇もない。時間的余裕だけではなく、この日本という社会そのものが、青年たちから長期的視野や目標を奪ったのだ。

あすの千円より、きょうの百円、という言葉があるが、きょうの百円どころか、いますぐの三十円に追い立てられるような世の中に、いつ誰がしてしまいやがったのか。

仁志は、にわかに不安に襲われ、胸苦しさを感じながら喫茶店に入った。この、突然心の底のほうからせりあがってきて、うろたえて逃げ場はない、と焦《あせ》ってしまう不安感に襲われるようになったのは、美奈代が姿をくらませたすぐあとくらいからだなと仁志は思った。

「朝食はとったのかい？」

と佐伯平蔵は訊《き》き、よく使いこまれた革製のシガレット・ケースから煙草《たばこ》を出すと、それも年代物らしいデュポンのライターで火をつけた。

佐伯が煙草を吸うのを見るのは初めてだったので、仁志は、

「煙草を吸うんですか？」

と訊いてから、朝食はいつも牛乳を温めて飲むだけだと言った。

「もうこの歳《とし》になって煙草をやめる気はないよ。本数を減らそうと努力をしなくても、自然に減ってきたよ。一日に、七、八本てとこかな。体調が良くない日は、火をつけて一服して、いやになって、すぐに消して、それっきりってときもあるね」

と言い、コーヒーをふたつ注文した。

「古いシガレット・ケースですねェ。それはとびきり上等の革です。そのデュポンのライターも、いいですねェ。塗ってある漆がそこまで艶消《つやけ》しになるには時間がかかります」

このシガレット・ケースも、デュポンのライターも、買ってから三十三年がたつと佐伯は言い、煙草が二センチほど減ったところで灰皿に押しつけて消した。そして、運ばれてきたコーヒーにミルクをたくさん入れた。

「さすがに、相棒さんが造る革製品の販売をしてただけはあるね。このシガレット・ケースは高かったんだ。ライターもね。でも、まだ四十二歳の男には分不相応でね。やはりこういうものは、それに似つかわしい年齢がやってこないと駄目なんだね。もうこれを持っててもおかしくないだろうって思ったのは六十を過ぎたころだよ。それまでずっと机の抽斗《ひきだし》の奥にしまったきりだったんだ」

佐伯がそう言って、コーヒー・カップを持ったまま、喫茶店の主人のコーヒーを淹《い》れる手順に見入ったので、仁志は、切羽詰まっている生活の窮状を正直に話し始めた。

「佐伯さんのお申し出は、ぼくにとってはありがたいどころやないんですが」

そう切り出した途端、

「わかってるよ」

と佐伯は強い口調で言って、仁志を睨《にら》みつけ、言葉を遮ってしまったが、仁志が次の言葉を待ちつづけても黙ったままだった。

何がわかってるっちゅうねん。わかってるだけではわからんやないか。わかってて、俺をどうしようっちゅうのか？　貸した金を差し引きながら、俺には別に日当を払うてくれるっちゅうのか？　食えるようにしてやろうっちゅうのか？　それならそれで、考えてることをはっきりと口にしてくれよ。

そう胸のなかで言いながら、仁志はうまくもなければまずくもないコーヒーを飲んだが、そんな自分の心のつぶやきが、佐伯にはすべて聞こえているような気がした。

「豆の量をもう三分の一増やしたら、このコーヒーは一級の味になるってことを、あのご主人はよくわかってるんだ。だけど、そうしたら、四百円を四百五十円にしなきゃあならなくなる。どんなにうまくなっても、値が上がったら、客は来なくなる、ってことも、あのご主人にはわかるんだ。そのくらい、せちがらい世の中になってしまったのか。それとも、客というものは元来そういうものなのか、坪木さんはどう思う？」

佐伯にそう問われ、仁志は試されている気がして考え込んだ。

俺という人間の中身をはかろうとしてるのだろうかと仁志は勘ぐって、これは下手な考えを述べずに、さあ、ぼくにはどっちなのかわかりませんと曖昧《あいまい》な答えで逃げようと思ったが、そんな腹の底もたちまち見抜かれそうな気がした。

「この人は、毎月、現金書留でお金を返してくるとき、必ず小さな便箋《びんせん》一枚に、近況も書いて入れてるんだ」

そう言って、佐伯は紙袋から便箋の束を出した。幅七、八センチ、長さ十二、三センチの便箋は、一年分ずつをクリップでとめてあって、全部で三十二束だという。

「これが三十二年前の分。これがことしの分だ。ことしの分は、まだ四枚しかないけどね」

さっきの問いは、ただ訊いただけで答えは求めていなかったのかと安堵《あんど》し、仁志は三十二年前の分を手に取った。

――知り合いのお世話で、錦《にしき》市場の漬物店で働かせていただけることになりました。きのう、お給料が出ましたので、五千円をお送りいたします。少額で申し訳ございません。三カ月後には少しお給料を上げてくれるそうです。そうなれば、もう少したくさんお返しします。

――今月も五千円で申し訳ありません。漬物店での仕事は、少し要領がわかってきて、楽しく働いております。

――今月は三千円がやっとでした。来月からお給料が上がります。

――お給料は五千円しか上げてくれませんでした。夫の事件のことで色々ご迷惑をかけてしまった方たちのこともあって、今月も三千円しかお返しできないのをどうかお許し下さい。

――寒くなってまいりました。先日、錦市場にお越しになりましたか？　佐伯さんだと思い、声をかけましたが、人混みにまぎれて見えなくなりました。今月は五千円をお送りいたします。

――師走《しわす》に入りましたが、いかがおすごしでございましょうか。市場というところが、とても体が冷えるところだと我が身で実感しております。今月は八千円お送りいたします。

仁志は三十二年前の六枚の小さな便箋を佐伯の前に戻しながら、このころは俺はまだ生まれていなかったのだなと思った。

「三十二年前の貨幣価値が、ぼくにはわかりません」

その仁志の言葉に、佐伯は少し考え込み、

「三十二年前っていうと、一九七六年だな。まだ昭和の時代だ。昭和……、五十一年だ。大卒の初任給が、さあ、どのくらいかなァ。十万円弱程度だったんじゃないかな。

いや、もう少し低かったかな。いずれにしても、小さな子をふたりかかえて、錦市場の漬物店で働く女性にとって、毎月、三千円とか、五千円、ときには八千円てお金の返済は大変だったろう」

と言った。

「余計なことを訊くなと思われるでしょうが、この人のご主人は、佐伯さんから幾らお金を借りたんですか？」

仁志は、返事もせずに睨み返すであろうと覚悟して質問したのだが、

「二百万円だよ」

と佐伯平蔵は答えた。

平均して毎月五千円を返済しつづけたとして、三十二年間で幾らになるのか。三十二年掛ける十二で、三百八十四カ月。それに五千円を掛けると……。

仁志は喫茶店のテーブルに置いてある紙ナプキンに数字を書いて計算してみた。百九十二万円だった。

あと八万円だが、それは借りた金額であって、三十二年間の利子はいったいどのくらいになるのか……。

佐伯はこの俺に金を貸したときと同様に、金利は決めず、完済時に礼金として利息

に該当する額を支払わせるのだろうか。

認可を受けていないもぐりの金貸しだから、佐伯が借主に金利を要求すると法律に違反する。だから佐伯は、金利ではなく礼金という言葉を使うのであろう。しかし、その額はどうやって算出するのか。

仁志が思い切ってそのことも質問してみようと思ったとき、

「行こうか」

と佐伯は言い、ステッキをついて立ちあがるとレジへ行き、二人分のコーヒー代を払った。

コーヒー代を払ってくれたということは、昼食代も晩飯代も佐伯持ちだな、と仁志は少し安心して、車を駐車場から喫茶店の入口のところへとつけた。

車が沓掛インターから京都縦貫自動車道に入り、仁志が速度を上げると同時に、

「この人は北里千満子《きたざとちまこ》さんというお名前だ。ご主人が亡《な》くなったときはまだ二十三歳だったよ。ご主人は三十歳だった。呉服の販売業だったけど、自分の店を持たずに、車に反物《たんもの》や着物や帯を積んで地方都市に住む女性に売って歩くっていうやり方で商売をしてたんだ。ぼくが二百万円を貸して四、五日あとに首を吊《つ》ったんだ」

と佐伯は言った。

「えっ？　自殺したんですか？」

仁志はバックミラーに映っている佐伯の顔を見ながら、そう訊き返した。

呉服を売って歩くといっても、知らない家々を一軒一軒訪ねて行くのではない。呉服類を展示出来る場所をあらかじめ借りておいて、事前に幾つかの方法で告知し、あいだに入る業者の根廻しも得て、初めて成立する商売だ。

品物の良《よ》し悪《あ》し以前に、信用というものが客の購買を左右するので、商売としては難しいやり方なのだが、物が物だけに、店舗を持たないことで品物を廉価《れんか》にすることが出来る。

呉服というものは高価なので、娘に晴れ着のひとつくらいは揃《そろ》えておいてやりたいという親たちにとっては、少しでも安く手に入るのはありがたい。だから、昔はそういうやり方で商いをする呉服商は多かった。

北里千満子の夫が、資金繰りに困って、あの下京区の小路の奥を訪ねて来たのは、ある人の紹介によってだった。

それがないといま商売が成り立たなくなって廃業しなければならないという類《たぐい》の資金を借りに来たのではない。自分がこれまで扱ってきた物よりも、もう少し高級な品を揃えるために必要だったのだ。

働き者で、なによりもはったりのない人物だと判断して、ぼくは金を貸した。三歳と一歳の子がいるということも、金を貸すための判断材料だった。だから、まさかその四、五日あとに首を吊るなどとは思いも寄らなかった。

彼の預金通帳には、この佐伯から借りた二百万円が入金された記録はなかったし、妻の千満子も、そのことは知らなかった。しかし、ぼくのところには、彼の自筆の借用書がある。

ああ、しくじったな。けれども、このようなことは、人に金を貸したかぎりは起こり得るのだから、いい勉強をしたと思っておこう。

ぼくはそう考えて、この佐伯を紹介した男にだけ事情を話しておいた。

すると、それから二カ月ほどたったころ、妻の北里千満子が幼い子をつれて訪ねて来たのだ。

夫が死ぬ四、五日前に、あなたから二百万円を借りたことを三浦さんから聞いたという。三浦というのは紹介者で、錦市場の近くで乾物店を営んでいる人だ。

北里千満子が、それは本当の話なのだろうかと訊いたので、ぼくは借用書を見せた。

彼女は、あの小路の奥の借家の六畳の間に正座して、ふたりの子をあやしながら、長いこと、その借用書に見入った。手が震えて、頬や唇が痙攣《けいれん》していた。

「何に使うたんやろ」

と言った。思わず出たひとりごとだったのだろう。そして、この二百万円という大金は、夫の商売用の口座にも、自分たち一家のための預金通帳にも記載されていないのだと言った。

この金で、呉服問屋から仕入れた品物の未納代金を支払った形跡もないという。

ぼくは、

「ああ、そうですか」

と言っただけだ。

どの家にも、その家だけの事情があり、どの夫婦にも、その夫婦だけの事情がある。自分がそれを知ったからとて何になろう。

「このお金は、私が返さなあきませんやろか」

と北里千満子は訊いた。

「世間のしきたりなのか掟《おきて》なのか、いずれにしても、それが常識でしょうね」

とぼくは答えた。下の子がむずかって泣きだし、上の子も落ち着きを失って、帰ろう帰ろうというふうに母親の服を引っ張った。

北里千満子は、もう一度、夫自筆の借用書に見入り、怪訝《けげん》そうな表情で、

「利子はどのくらいお支払いするんですか？」

と訊《き》いた。

ぼくは、完済時に礼金として加えていただくが、その額は決めていないと答えた。

それからまた十日ほど後、北里千満子は、こんどはひとりで訪ねて来た。ふたりの幼な子は、亡夫の母、つまり姑《しゅうとめ》に預けてきたという。

「毎月、少しずつの返済でもよろしいやろか」

と千満子は訊いた。

わずか十日のあいだに、彼女はひどく面変わりしてしまっていた。器量の良し悪しで評価すると、千満子は不器量なほうだったが、そこに明らかな憔悴《しょうすい》というものが加わって、まだ二十三歳なのに四十前に見えた。

亡夫が、借りた金を何に使ったのかがわかったと千満子は言ったが、それ以上のことは口にせず、あきれられるほど少額のときもあってお怒りになるだろうが、毎月必ず返済すると約束した。そして、こう言った。

「佐伯さんは、私に返せとはひとことも仰言《おっしゃ》いません。それはなんでやろと、怖いくらいです。この人は、なんかひどいことをお腹《なか》のなかに持ってはるんとちゃうやろかって、怖いです。そやけど、私を信じて下さい。私は、たとえ何十年かかっても、月に三千円とか五千円とか、そのくらいしかお返しでけへんことがつづいても、必ず完済します。私のこの決意は、ほんまです。どうか信じて下さい」

千満子は本当に怯《おび》えていたのだと思う。ぼくが家に押しかけて行くわけでもなく、亭主の借金を女房が払うのは当然だと声を荒だてるわけでもないことで、かえって強い恐怖を感じたのだと思う。

「北里さんの決意なんて信じません」

とぼくは言った。その瞬間、北里千満子の顔は蒼白《そうはく》になり、次にどんな言葉がぼくの口から出て来るのかと、烈《はげ》しくまばたきをしながら見つめ返して来た。

「月に三千円とか五千円で結構です」

とぼくは言った。千満子は、長いこと、ぼくを見ていた。それは随分長い時間だった。

彼女は何度も何度もお辞儀をしながら帰って行った。ぼくはそれきり一度も北里千満子と逢《あ》ったことはない。

佐伯平蔵は、語り終えると、高速道路の左右にあらわれ始めた低い山々に視線を転じ、

「緑色の大きなマシュマロみたいだね」

と言った。

いっせいに新緑が芽ぶいて、見ていると自分のなかの何かも芽を出しそうな気分にはなったが、仁志は山々をマシュマロのようには感じられなかった。

山の一部には、あきらかに人の手によって植えられた杉や檜《ひのき》が麓《ふもと》から中腹にかけて帯状につづいていたが、それは周りの天然自然の幾種類もの名も知らぬ樹木の溌剌《はつらつ》な枝ぶりと葉の輝きによって、いやにくすんで見えた。

話の途中から、仁志にはひとつの猜疑心《さいぎしん》が生まれて、それがまた新たな不安となっていた。

この佐伯という金貸しは、相手が誰であれ、金利を提示せず、完済時に礼金を加えればそれで良しとするのだとしたら、金貸し業はどこで成り立つのか。

もし百万円貸した相手が、完済時に、礼金として千円しか渡さなかったらどうするのか。

なかには、金を借りて行方をくらますやつもいるだろうし、一銭の礼金も払おうとしないやつもいるだろう。そんなときはどうするのか。慈善事業ではないのだ。

きっと、佐伯の背後には、暴力団か、あるいはそれとつながりのある取り立て専門の連中が控えているのだ。

「百万円借りといて千円の礼金？　寝言は寝てから言えっちゅうねん。おのれが首でも吊ろうかっちゅうときに、百万もの金を用立ててくれたお方に、お陰で窮状を脱したから、三十万のお礼をさせていただきますっちゅうのが、人の道やないのかい。なめとんのか、おらっ！」

そう怒鳴って、全身クリカラモンモンの男が二、三人連日連夜押しかけて来るという仕組みになっているのではないのか。

そうでなければ、今朝の電話の最後のひとことの凄《すご》みには現実性がないではないか。

——きみの人生は終わったも同然ということになる。

佐伯は確かにそう言ったのだ。

あの抑揚のない静かな言い方。俺はあのひとことで顎《あご》から頬にかけて寒イボが立ったのだ。

仁志はさまざまな考えを巡らせながら、バックミラー越しに佐伯と目と目が合わないようにして運転をつづけた。

京都縦貫自動車道から出て再び国道9号線に入ると、山に挟まれた農村の風景が始まった。

「雨あがりのときなんかは、あの山なんかは水墨山水画のようになるだろうね」

と佐伯は前方の左側に見える山を指差して言った。

「ぼくは、水墨山水画ってどんな絵なんか知りません」

と仁志は答えた。

「そうか、教養がないね。大学、出てるんだろう?」

「大学では習いませんでした」

「じゃあ、何を勉強したんだ」

「ぼくは心理学です。社会心理学。いちおうそういう学部に所属したというだけで、ほとんど勉強なんかしてません。授業中は半分寝てましたし」

「ふうん、じゃあ、きみが学問の分野で、少々蘊蓄《うんちく》が傾けられるというのは何だい?」

こんな質問を旅のあいだ投げかけられるのだろうかとうんざりしながら、

「学問の分野ですか……。何にもないです」

と仁志は言った。

「でも、大学は学問の場所だろう。そこで四年も学んだんだ。何かひとつくらいは勉強しただろう」

なまじ知ったかぶりをするとかえって厄介なことになる気がして、

「ぼくはほんとになまけ者の、駄目な学生やったんです。留年せずに卒業できたのは奇跡のようなもんでして」

と仁志は言った。

「教養のない、なまけ者……。困ったもんだな。じゃあ、大学の四年間に何をしてたんだ？」

「バイトに明け暮れて、パチンコして、麻雀《マージャン》して、落語を聴いてました」

「落語？　大学には落語研究会ってのがあるそうだけど、そういうクラブに属して、落語の稽古《けいこ》をしてたのかい？」

「いえ、そういうのに属すのは嫌いですので、ひとりで聴いてました」

「寄席《よせ》に通ってかい？」

「いいえ、ＣＤで」

説明するのは面倒臭かったが、大学の四年間で最も時間を費やしたのは、アルバイト以外には五代目古今亭志ん生《ここんていしんしょう》の落語を聴いたことだったので、仁志はその理由を話して聞かせた。

「おじいちゃんが、五代目志ん生のファンやったんです。いまでいうオタクです。五代目志ん生オタク。志ん生以外は噺家《はなしか》やない、っちゅうて、他の名人と呼ばれるどんな落語家の噺も聴きませんでした。当時はCDなんかありませんでしたから、誰かがラジオから録音したテープとか、独演会のレコードとか、そんなんがおじいちゃんの部屋に山ほどあって……。おじいちゃんが死んだとき、それの始末に困って、捨てるのも勿体《もったい》ないからって、全部ぼくの部屋に入れよったんです。ちょっと預かっといてくれっちゅうて。ぼくが中学三年生のときです」

仁志がそこまで喋《しゃべ》ったとき、

「いまの看板を見たかい？」

と佐伯は訊いた。

「やぎのたまご、って書いてあったよ。ぼくの見間違いかなァ。でも確かに『やぎのたまご』って書いてあった。『やぎのたまご』って何だろうね」

後部座席で振り返って、うしろを見つめながら、佐伯は言った。

「やぎのたまごって、そのままでしょう？　山羊《やぎ》の卵とちがうんですか？」

何を不思議がっているのか。もうこのあたりはかなりのいなかだから、山羊を飼っている農家があって、そこで山羊が産んだ卵を売っているのだ。

仁志はそう思い、話題が逸《そ》れてくれたのをありがたく感じて、バックミラーで佐伯を見てから、山羊は確か哺乳類《ほにゅうるい》のはずだと気づいた。山羊の卵なんて、見たことも聞いたこともない、と。

「きみは確かに落語を聴き過ぎて、長屋の与太郎と変わらなくなったのかねェ」

その佐伯のあきれ声で、仁志はこらえきれなくなって笑った。佐伯も笑っていた。

「山羊が卵を産んだら、世界の歴代重大ニュースのトップですよねェ」

と仁志は言い、京都と丹波地方をつなぐ幹線道路なのに、車の交通量の少ない、運転しやすい国道9号線を、制限速度を守って走りつづけた。

「夜、ホテルに入ったら、ぼくのパソコンで『やぎのたまご』を調べます。何かの商品名やと思います」

「うん、もしお菓子だったら、帰りに買おう」

と佐伯は笑いつづけながら言った。

大学で何を学んだのかと質問されなければ、自分が中学三年生の初夏から大学を卒業するまで何かに憑《つ》かれたように五代目志ん生の落語を聴きつづけたことを思い出しはしなかったであろうと仁志は妙な気持ちになった。

大学を卒業してたったの七年しかたっていないのに、その間の日々のあまりの希薄さが、自己嫌悪《けんお》を伴って、ひどく長い年月だったように感じられたのだ。

「志ん生の落語では、何がいちばん好きだい？」

と佐伯は訊いた。

「うーん、いちばん好きなのって訊かれると困るんですよねぇ。あの人の、持ちネタっていうのか、演目は多いですから。順位をつけずにやったら、ぼくの好きなものベスト・ファイブは、『寝床』『五人廻し』『火焔太鼓《かえんだいこ》』『唐茄子屋《とうなすや》政談』『子別れ』です。あっ、『お化け長屋』も好きですし、あの人の『らくだ』もええし、『井戸の茶碗《ちゃわん》』も『粗忽《そこつ》長屋』も『付き馬』も『品川心中』も『饅頭《まんじゅう》こわい』も、えーっと、あとは……」

「いやいや、そんなにいっぺんに言われても覚えられないよ。何が何だかわからなくなる」

そう言って、佐伯は低い声で笑った。

いまあげた演目は、すべて三百回くらいは聴いている。しかし、もう七年近く、志ん生の落語を聴いていないので、ところどころ忘れてはいるが、ほとんどそらんじることができる。

その仁志の言葉に、佐伯は、ほうと感心したように言い、後部座席から身を乗り出して来た。

「得意なのを一席聴かせてくれないか」

「いやァ、それは無理です」

　と仁志は言った。

「あれは誰も真似《まね》ができません。そやから、五代目志ん生は、名人の上に大がつくんですね。大名人。それに、大阪生まれの大阪育ちのぼくには、あの生粋《きっすい》の江戸っ子の、早口のべらんめえ口調を自然に喋ることはでけへんのです」

「覚えた落語のうちのどれかを、誰かに聴かせたことはあるかい？」

「母が入院してたとき、病室で聴かせました。たぶん、母は、気を遣うて、おもしろうもないのに笑てくれたんやと思います。ぼくのほんとの母親とは違いましたし」

　佐伯は、つかのま無言だったが、仁志の家庭の事情については何も触れず、

「ひとつの演目を三百回聴いて、それを何回くらい稽古したんだい？」

　と訊いた。

「さあ、かぞえたことはないですから……。『火焔太鼓』は、いちにちに十回、三カ月つづけましたし、『五人廻し』もおんなじくらいは稽古しました」

「噺家になろうと思って、ひとりで稽古してたのかい？」

「いいえ、そんな気はまったくなかったです。ただもう好きやったから、五代目志ん生の真似ができるようになりたいっていう一心で……。誰も真似がでけへんから凄い

んやっちゅうことがわかったのが大学を卒業するころです。そんな簡単なことがわかるのに八年もかかるなんて、ぼくはアホですね」

　仁志の言葉に、

「いや、一生わからないやつが、たくさんいるんだよ」

と言って、佐伯はシガレット・ケースから煙草《たばこ》を出して口にくわえたが、火はつけなかった。

「福知山で昼食にしよう。北里さんを訪ねるのは、それからにするよ」

　佐伯の言葉に、はいと返事をして、仁志はいっそう濃淡が鮮明になってきた山の緑を見つめ、緑という色にも、さまざまな違いがあるのだなと気づいた。そんな思いで山の樹木を見たのは初めてのような気がした。

　佐伯はそれきり話しかけてこなかったので、仁志は久しぶりに五代目志ん生の『寝床』を心のなかで喋ってみた。

　枕《まくら》の部分が出ると、覚えた言葉は自然に湧《わ》いてきたが、途中の忘れたところは端折《はしょ》って、下手な浄瑠璃《じょうるり》を人に聴かせたがる旦那《だんな》の登場の場面にさしかかったあたりで、車は福知山の市内に入った。

　佐伯が、車をどこかで停めてくれと言ったので、仁志はコンビニの駐車場に入った。

「ミネラル・ウォーターを買っといたらどうでしょう」

と仁志は言った。

「ああ、そうしよう。確かにちょっと喉《のど》が渇いたね。いいお天気だからな」

そう言いながら、佐伯はひらいたノートを見せた。北里千満子の住所が書いてあった。

ノートを受け取り、仁志は住所をカーナビに入力すると、車から降りてコンビニへと行きかけた。

すると、佐伯が呼び止め、後部座席の窓から一万円札五枚を持った手を差し出した。

「これを預けとくよ。食事をしたり、何かを買ったりするときには、これで払ってくれ」

「じゃあ、五万円を確かにお預かりしました」

と言って、仁志はコンビニに入り、ミネラル・ウォーターのペットボトルを五本買った。

車に戻ると、カーナビの画面には、北里千満子の家への経路が赤い線で表示されていた。ＪＲ福知山駅の前を西に行き、ふたつめの交差点を右折するらしい。

車を発進させ、市街地の中心部へと近づくにつれて、周辺の低い山々に囲まれた盆地に位置する福知山市もまた、消費者金融各社の看板やパチンコ店や、レンタルビデオ店や、大型電器店やスーパーの、味気のない箱のような建物に侵食されているのがわかった。

「日本て国は、もうどこの地方都市へ行っても、景色はおんなじだね」

佐伯がそう言ったので、自分もいま同じことを考えていたのだと仁志は応じ返した。

「アメリカで暮らして二十年たつ人が、数年ぶりに日本に里帰りして、あちこち旅行をしたとき、がっかりしたそうです。Aという町からBという町へ行っても、風景はちっとも変わらへん。Cという町へ行っても、Dという町へ行っても、おんなじ。アメリカは、もう二、三十年前にそういう国になったから、ああ、日本は何もかもがアメリカ化していくんやなァて思て、悲しいなってしもたそうです」

仁志の言葉に、

「その町だけが昔から持ってた特徴とか風情《ふぜい》は、もはや消滅したってわけかな」

と言い、佐伯はカーナビの画面に見入った。目的地まであと五分となっている。

「もうすぐだよ。じゃあ、あの蕎麦《そば》屋に入ろう。ぼくは蕎麦で充分だけど、きみはそれじゃあ足りんだろう。朝は牛乳だけだったんだからな」

「いえ、ぼくも蕎麦でいいです」

建物よりも看板に金をかけたような蕎麦屋は、量ばかり多くて、大雑把な味で、佐伯は山菜蕎麦を半分残した。

「この店は牛と狐《きつね》の泣き別れ、ですね」

天麩羅《てんぷら》蕎麦を食べ終え、薄いほうじ茶を飲みながら、仁志は小声で言った。

「何だい、それは」

と佐伯は訊《き》いた。

「モー、コンコン」

佐伯が、持っていた湯呑《ゆの》み茶碗《ぢゃわん》の中身をこぼしそうなほどに上体を揺らして笑ったので、おっ、うけたがな、滑ったら最悪の親父《おやじ》ギャグになるとこやのに、と思い、仁志はもっと佐伯を笑わせたくなった。

「息というか、間《ま》というか、それがいいね。いまのも五代目志ん生かい？」

「はい、『五人廻し』のなかで、吉原の花魁《おいらん》に待ちぼうけをくうてる客が、部屋のあちこちに書いてある落書きを読むくだりです」

代金を払うと、仁志は車を蕎麦屋の玄関口につけた。

佐伯は、こんなにいい天気なのにいやに膝《ひざ》が痛むから、きっと今夜あたり雨になるよと言いながら、後部座席に坐《すわ》り、ノートを拡《ひろ》げて、自分の携帯電話のボタンを押した。相手は北里千満子であろうと仁志は思い、車を発進させた。

夫の自死後、北里千満子はずっと錦市場の漬物店で働いていたが、何かの事情で福知山市に移ったのであろう。

三十二年もたったのだから、ふたりの子供たちもおとなになったが、千満子はいまでも働いているのだろうか。まだ五十代なのだから、隠居する歳《とし》ではない。だとすれば、平日の昼間に家にいる確率は低いではないか。もし仕事中なら、電話に出られないだろうに。

仁志はそう考えながら、交差点を右に曲がった。

「京都の佐伯平蔵です。いやァ、こちらこそご無沙汰《ぶさた》しました」

佐伯は相手と話を始めたが、すぐに仁志の肩を叩《たた》いて、車を停めるよう表情で指示した。

うしろに大型トレーラーがいたし、道幅が狭いので、仁志は真っすぐ行かなければならないのに細い道を左折し、自動車修理工場の横に車を停めると、自分は外に出た。つもる話もあるかもしれないと思ったのだ。

小さな橋の向こうで、老人が畑の作物を収穫していたので、どんな野菜が出来たのかと、そのほうに歩きだすと、佐伯に呼ばれた。

「北里さんなんだけどね、京丹後市《きょうたんご》の久美浜町《くみはま》ってとこに引っ越したそうなんだ。道順を教えるっていうんだけど、ぼくが聞いてもよくわからないから、きみが聞いてくれないか」

と佐伯に言われ、仁志は車のところに小走りで戻り、携帯電話を受け取った。

細くてよく通る声で、

「福知山からは車で一時間半くらいやと思います。国道426号線に入って、丹後のほうに進んで下さい。で、その道から国道482号線に入ったら、あとは道なりで京丹後市のほうに行って下さい。そしたら、こっちが久美浜という標示があります。久美浜湾の近くから、またお電話をいただいたら、私がお迎えにあがります」

と北里千満子は言い、自分は先月の末から京都の有名料亭の工房に雇ってもらえて、そこで働きだして十日目なのだと説明した。

「工房の名は何ですか？　どこかにお迎えに来て下さらなくても、深して行きます」

仁志の言葉に、北里千満子は、仁志もその名だけは知っている料亭の屋号を口にした。

勤務時間中に訪ねて行くわけにはいくまいと思ったが、

「とにかく、久美浜町めざして行きます」

　そう言って、仁志は携帯電話を佐伯に返した。

「お仕事を終えられて、おうちにお帰りになるのは何時ごろですか。お手間は取らせません。用向きは三十分もあれば済むんですが」

　佐伯は北里千満子にそう言いながら、久美浜町めざして車を走らせてくれと仕草で示したので、仁志は運転席に坐り、カーナビをセットした。

　久美浜町は日本海に面していて、西へ少し行けば兵庫県の城崎《きのさき》温泉だった。

　とりあえず、カーナビの指示どおりに道を曲がり、福知山市街を抜けて国道426号線に入ると、仁志は、京都の有名な料亭が、どうして丹後の久美浜なんかに工房を持っているのかと思った。何を製造するための工房なのであろう、と。

　電話を切り、佐伯は小声で何かつぶやいた。

「えっ？　何でしょうか」

　と仁志は訊いたが、佐伯はそれには答えず、

「まさか日本海まで行くことになるとはねェ」

　そうつぶやき、量販店も消費者金融もパチンコ店も消えて、畑と山々だけが国道の両側に並ぶところに来るまで黙っていた。

「ぼくから電話がかかったもんだから、びっくりしたんだろうなァ。なんかひどく慌《あわ》

てて喋《しゃべ》るもんだから、どうもよく咀嚼《そしゃく》しかねるんだけど、おととい、工房で植樹祭をやったそうなんだ。招待客も従業員もみんな参加して木を植えたけど、当日は仕事でどうしても参加できなかった従業員が五十人、きょうは京都や東京からやって来て、その人たちの割り当て分の木をこれから植えるって。もしよかったら、佐伯さんも、電話に出た若いかたも、木を植えてくれないか、って……。要約すると、あの人は、そういうことをぼくに言ってたんじゃないかなァ」

やっと口をひらいた佐伯の顔をバックミラーで見やって、

「木？　木を植えるんですか？　ぼくも？」

意味がわからなくて、仁志はそう訊き返した。

「北里さんは、そう言うんだよ。できるだけたくさんの人に木を植えてもらおうというのが、うちの社長さんの望みだから、ぜひおふたりも植えてくれって。ひとりで三十本植えるらしいよ。佐伯さんが植えてくれたら、私は嬉《うれ》しいって言うんだ」

「ひとりが三十本ですか？」

おとといの植樹祭にどれだけの客が招かれ、どれだけの従業員が参加したのかわからないが、きょうそのためにやって来ている五十人よりもはるかに多いだろう。

きょうの五十人だけでも、ひとりが三十本植えるとしたら、千五百本ではないか。

いったいどれほど大きい工房なのだ。いや、工房そのものは大きくなくても、敷地が広大なのだろうか。

「何の木を植えるんですか？　桜ですか？」

「いろんな木だって。いろんな木と言われたって、よくわからんなァ。しかし、ひとりで三十本の木を植えるってのは苗木にしたって大変だよ」

「それ、ぼくらも植えなあかんのですか？」

「植えてくれたら、こんなに嬉しいことはないって」

どうして北里千満子が福知山市から丹後の久美浜町へと引っ越したことを佐伯は知らなかったのだろう。

毎月、現金書留の封筒のなかの小さな便箋《びんせん》に、自分の近況のようなものを書き添えるのだから、北里千満子がそのことに触れないはずはあるまい。

仁志はそう思ったが、あまり調子に乗って、あれこれ質問しないほうがいいと己を戒めて、人にはいろんな事情があるのだと腹のなかで言い聞かせた。

なぜかわからないが、この佐伯に叱《しか》られると、自分が何かすさまじいエネルギーによって吹き飛ばされて、身の置き所を失《な》くし、どうしていいのかとよるべなくうろたえつづけてしまうのだ。だから、なるべく自分のほうからは話しかけないでおこう。

そう決めたのに、仁志は、たまに農家の軽トラックとすれちがうだけの、樹木の旺《おう》盛《せい》な芽吹きに飾られた山々のあいだを縫って進む国道を走っているうちに、

「北里さんは、なんで引っ越したことを佐伯さんに教えなかったんでしょうね」

と訊いてしまった。

「何か事情があるんだ。逃げも隠れもしない人だってことは、きみにだってわかるだろう」

その突き放すような言い方で、仁志は自分の後頭部に佐伯の視線を感じた。

「何のために北里さんの手紙をきみに見せたかわかるか？」

「はい、わかるような気はしてます」

「変な日本語だな。わかるような気はしてます？　それはどういう意味だい。わかるかわからないかしかないだろう。わかるような気はする？　あちこちに逃げ場を準備した言い方を、きみは心のなかに幾つ持ってるんだ。それを全部いま言ってみなさい」

あーあ、やっぱりいらんことを言うてしもた。もうこれからは絶対に口にチャックや。このじいさんに何か訊かれても、ぼくにはわかりませんで押し通すぞ。それで叱られても、余計なことを喋って、ねちねちとイチャモンをつけられるよりもましや。

仁志はそう考えながら、

「すみません。軽はずみな物言いをしてしまいました」

と謝った。

それからしばらく緊張したまま車の運転をつづけているうちに、仁志は、佐伯平蔵という親しくもない老人に強い怒りを抱き始めた。

このじじいは、いったい何の権利があって、俺を冷淡に罵倒《ばとう》できるのだ。俺は確かにこのじじいから八十万円という金を借りたが、返済の期限はまだ先で、約束を反古《ほご》にしたわけではない。

それどころか、期限前でありながら、少しでも先に返しておこうと、自分の車を売ることにして、京都市内の何軒かの中古車屋を訪ね、値段交渉をして、とりあえず三十万円は作れそうなのでと正直に佐伯に説明し、二、三日のうちにその三十万円を持参すると言ったのだ。

残りの五十万円と礼金も、期日までにはなんとか用意して遅滞なく完済すると、馬鹿《ばか》正直に約束したあげくが、このざまだ。

考えてみれば、いますぐに車を売る必要もなければ、自分の事情を説明するために佐伯の家に行くこともなかったのだ。

佐伯にしてみれば、自分の車を売って作るという三十万円以外には、この坪木からは一銭も取れそうにないと読んだことだろう。

それならば、貸した金の取り立てに行くのに、こいつとこいつの車を使ってやろう。持病の膝の痛みを考えれば、どこへ行くにしてもタクシーに乗らなければならない。タクシーの運転手には当たり外れが多い。無愛想で気が利《き》かなかったり、のべつまくなしに話しかけてきて乱暴な運転をするのに当たったら災難というしかないのだ。

臨時の運転手を務めることで、借りた金の一部が自動的に減っていくのならと、こいつはふたつ返事で引き受けるに違いない。負い目があるから、少々こき使っても文句は言うまい……。

おそらく、このじじいはそう計算したのだ。そして俺は、まんまとその術中にはまって、妙に怯《おび》えつづけながら、このじじいの顔色をうかがっている……。

「こんど何かえらそうに言いやがったら、その瞬間に車を停めて、じいさんをひきずり降ろして、車をUターンさせて、俺はひとりで京都へ戻ったるからな。俺はこんなじいさんに負けへんぞ」

仁志はそう心のなかで言った。

「山の配置の案配がいいね。もう、日本中どこへ行ってもおんなじで、古き良きふるさとの山河なんてものは、よほどの山里へ行かなきゃあ、もうお目にかかれないってあきらめの心境になりかかってたけど、この道はいいね。農家の集落と集落の間隔が程よくて、ひとつひとつの山の高さも形も穏やかで、人工の植林も、山の一角をちょっとお借りしますっていう謙虚さがあって、植林されてないところには、いろんな木が密生してて、なんか樹木がいきいきしてるよ。この道は、とくに紅葉の季節はすばらしいだろうね。国道何号線だった？」

佐伯平蔵の言葉どおり、名だたる名峰とはまったく趣を異にした、こぢんまりとした山々が次から次へとあらわれてきて、仁志も、車を運転していなければ、ぼんやりと眺め入りたくなるほどだった。

「この道は国道４２６号線です。もうちょっと行ったら、国道はふたつに分かれて、左はそのまま４２６号線で、出石《いずし》から豊岡のほうへ行くみたいです。ぼくらは右側の道を行きます。国道４８２号線に入るんです。それを北へ行くと、京丹後市に入るらしいです」

カーナビの画面に目をやって、仁志はそう応じ返した。

自分からはいっさい話しかけないと決めたのに、田圃《たんぼ》の畦《あぜ》道に立てられている看板の字を見た途端、

「あっ、『やぎのたまご』です。また、『やぎのたまご』がありました」

と叫んだ。

「突然、そんな大声で、『あっ』なんて叫んだら、子供が道に飛び出て来たのかって、びっくりするだろう。『やぎのたまご』くらいで、そんな叫び声をあげるもんじゃないよ」

佐伯に叱られて、仁志はまた小声で謝ったが、

「あれは、八木さんて名字の人が作ってる卵やとは考えられないでしょうか」

と言った。

「八木さんが養鶏場をやってて、そこの鶏が産んだ卵だって言うのかい？　そのきみの推理には賛同しかねるなァ」

「そしたら、どこかで区切る、とか」

「どこで」

「やぎのた、で。やぎのた、まご」

佐伯は何の反応も示さなかった。

三叉路《さんさろ》を右に行き、国道４８２号線に入ると、車を停めて、少し休憩しようと佐伯は言った。

「景色はますます良くなるねェ。見事なもんだ。こういうところにホテルがあったら一泊してもいいねェ」

佐伯はステッキを突いて車から降り、そう言いながら、何かの苗が植えられたばかりの畑のほうへと五、六歩進み、ミネラル・ウォーターを飲んだ。

仁志は、佐伯がこうやって車から出て一服するときに携帯用の椅子《いす》があればいいなと思った。

ああいうものはどこで売っているのだろう。そうだ、釣具店なら置いてあるはずだ。あの下京区の入り組んだ小路の奥は日当たりが悪い。たまにこうやって山に囲まれた緑の多いところに来て、日光浴をするのは心身にいいが、そんなとき椅子があれば、ステッキに頼って立っているよりも、はるかに心も体ものびやかになれるだろう。

今回の旅が何日かかるかわからないが、釣具店があれば携帯椅子を買おう。たいして高いものではあるまい。

そう考えながら、仁志は何度か上体の伸びをしたり、膝《ひざ》の屈伸運動を繰り返した。

北里千満子と逢《あ》って用事を済ませたら、次はどこへ行くのかを訊《き》きたかったが、

「あかん、あかん。こうやって自分で決めたことをすぐに破るのが、俺という人間の癖や」

と腹のなかで言い、仁志は、ほとんど真上にある太陽に顔を向けた。

佐伯は、車に戻り、大きな封筒を持って来ると、そのなかから別の封筒を出し、仁志のいるところにやって来て、

「北里さんに逢ったら、これを渡してくれ」

と言った。

どうして自分で渡さないのかと不審に思いながら、

「これは何ですか?」

と訊いた。

しまった、また余計なことを質問した。渡せというのだから、言われたとおりに渡せばいいのだ。これが何であろうと俺とは関係がない。

そう思って、仁志は、叱られる前に先に謝ろうとして口をひらきかけた。

しかし、佐伯平蔵は、仁志が何を言おうとしているのかを察知したかのようにかすかに笑みを浮かべ、

「これは、北里さんのご主人が三十二年前に自分で書いた借用書だ」

と言い、頭上を横切って東側の山のほうへと飛んで行く七、八羽の野鳥を眩《まぶ》しそうに見やった。

借用書を返すということは、まだ完済されてはいないが、借金はこれでゼロになったと北里千満子に言うのと同じだ。そうか、佐伯は北里千満子の三十二年間にわたる誠実さに免じて、貸した金の取り立てをこれで終了とするつもりなのか。

仁志はそう思ったが、同時に、ちょっと待ってくれ、この借用書を相手に渡すのは、佐伯さん、あんたの仕事だろうと言いたくなった。

これに関しては、俺には、臆《おく》さず、ひるまず、堂々と抗議する権利がある。あんたの指示に従って、あっちへ行け、こっちへ行けと命じられるままに車の運転はするが、金貸し業の一端を担《にな》うつもりはないし、そんな約束は交わしていない。

北里千満子に三十二年前の借用書を返すという行為に、俺は関わるべきではないのだ。

仁志は自分の考えを佐伯に伝え始めると、たちまち動悸《どうき》がしてきて、舌が縺《もつ》れている気もしたが、なんとか脚の震えだけは悟られないようにと畦道に仁王立ちして、

「ぼくは車を運転するだけしか能がない人間で、こんな大事な心の問題に口出しする立場は拒否する立場にあるんです。北里さんは、この借用書を佐伯さんから返してもらうことに意味があるのであって、佐伯さんも自分で渡すのに意味が含まれていますので、ぼくが渡したりしては、佐伯さんの思いは有名無実に……」

と、そこまで言って、息をついた。

あかん、この支離滅裂な日本語を正しく修正するには、最初から喋《しゃべ》り直さなあかん。仁志はそう思ったが、自分の脳のなかにある言語はどこかで縺れてしまっていて、一から言い直す気力も失《う》せていた。

眩しそうな目をしたまま、佐伯は小首をかしげ、

「よくもそんな不思議な日本語を早口で喋れるもんだな。落ち着きなさい。口出しする立場は拒否する立場にある？　なんだ、それは。ようするに、この借用書を北里さんに返してあげるのが、いやだというんだな」

と言った。

「いえ、それがいややというわけではないんです」

「じゃあ、渡したらいいじゃないか」

「はい、渡します」

そう返事をした途端に脚の震えはおさまり、動悸も鎮《しず》まっていった。

車のほうへと戻りかけた佐伯に、

「この封筒を北里さんに渡すとき、何て言ったらいいんでしょうか？」

と仁志は訊いた。

「そんなことは自分で考えなさい」

「はい、わかりました。渡すのは、いつにしたらいいでしょうか。逢ったときに渡すのか、別れぎわに渡すのか……。ああ、それも自分で考えろっちゅうことですよね」

仁志は走って佐伯を追い越し、車のドアをあけながら、いっときも早くこのじいさんの側《そば》から離れたいと思った。

寿命が縮むとはこのことだ。朝、電話がかかって来て、それからあの小路の「人間止め」の前からスタートして、まだ三時間と少ししかたっていないのに、俺の精神はもう疲労困憊《こんぱい》してしまって、さっきから腹がぐるぐると鳴っている。

自律神経が乱れたときに起こる症状で、長く考え事をしたり、不安や心配事があったりすると、俺には腹がしつこく鳴りつづけるという癖があるが、つきあいたくないやつとつきあっているときにも起こるのだ。

またそういうときにかぎって、近くにトイレがない。

こういうときは、医者が処方してくれた二種類の薬を服《の》んで、デジタル・オーディオ・プレーヤーでベートーヴェンのピアノソナタ「月光」を聴くのが、俺にはいちばん効くのだ。

仁志はそう思い、車のトランクから自分のボストンバッグを出し、それを助手席に置いた。

国道482号線を三十分ほど北へ行くと、道はまた二手に分かれていた。右へ行けば、丹後半島の峰山《みねやま》町や宮津《みやづ》市で、そこから半島の東側へと進むと天橋立に辿《たど》り着くらしい。

仁志は、カーナビの指示どおり、道を左に曲がった。

「海に近くなってるね」

と佐伯が言ったとき、車は小さな町に入った。仁志は、釣具店をみつけて車を停めると、ちょっと待っていて下さいと佐伯に言い、ボストンバッグを持って店内に入り、釣り人用の折り畳みの椅子はないかと店主に訊いてから、薬を出した。

幾つかのサイズの異なる折り畳み椅子のなかから、いちばん大きいのを選び、釣具店のトイレで薬を服んで車に戻った。

「これがあると、どこか気にいったところでゆっくり景色を楽しめます」

そう言って、仁志は折り畳み椅子をひろげ、それを佐伯の横に置いた。

「ほう、ありがたいね。これに腰掛けて、五月の日本海を眺めながら、うまい弁当でも食べたいね。さっき、ひどい蕎麦を食べて、なんだか、あと口が悪いよ」

佐伯は、腰を降ろす部分のテント地の布を軽く叩《たた》きながら言い、この椅子は幾らしたのかと訊いた。

「在庫一掃の特価でしたから、びっくりするくらい安かったです。ぼくからのプレゼントです。お預かりした五万円から払ったんやないです」

「そうか。どうもありがとう。こんな便利な持ち運び出来る椅子があるとは気づかなかったなァ。なるほど、釣り人には必要だね。ぼくは、釣りってのは、昔、川で鱒《ます》釣りをした程度だよ」

佐伯が歓《よろこ》んでくれたことが嬉《うれ》しくて、

「植樹を手伝うのは三時からでしたねェ。もうここからすぐですから、充分間に合います」

と仁志は言って、車を発進させた。

久美浜湾の近くまで来ると、昇り道が多くなった。北里千満子が教えてくれた工房の住所を念のためにカーナビに再入力し、山に沿って進むと、赤茶色の土を剝《む》きだしにした台地があらわれた。幾つかの低い山をつぶして更地にしたのだということは、仁志にもわかった。

工場らしい白い建物が右手に見えてきた。

「ああ、ここですね」

そう言いながら、工場の正門へとハンドルを切りかけて、仁志はそれが目指す工房ではないことに気づいた。

一本の道を隔てて隣接する別の工場なのだが、その向こうには何の建物もなく、広大な空き地の周りに藁《わら》で埋め尽くされた身の丈の三倍ほどの丘のようなものがあった。しかし、よく見ると、その藁のなかから四、五十センチほどに伸びた無数の苗木が突き出ている。

「ここだよ。植樹をしただけで、工房の建設はまだなんだな」

と佐伯は言い、車から降りた。

「これが植樹ですか？」

敷地のどこかに飾りの木を植えたのであろうと思い込んでいた仁志は、その小さな苗木の数に茫然《ぼうぜん》となったが、その種類の多さにも驚いてしまった。どれもこれも、仁志が知らない名前の木ばかりなのだ。

植樹用に運ばれてきて、敷地の周りに小高く盛られたのであろう土は、敷地内にも配置されていて、すでに苗木を植えた箇所と、そうではない箇所とがあり、従業員らしい男女が、リーダー格の者を中心にして集まっていた。そのなかから、白い作業衣を着てゴム長を履いた小柄な女が小走りで近づいて来て、

「ほんまに来てくれはるやなんて、なんか夢みたいです。先月のお手紙を書いたときは、まだ正式な採用通知を貰《もら》ってなかったもんですから、そのことには触れずじまいで、わざわざ福知山までお越し下さいましたのに二重手間をおかけしてしもうて……」

と言い、白い帽子を取って、佐伯に深くお辞儀をした。

「北里さんはとてもお元気そうですね。なんだか若々しくて、美人になっちゃって」

佐伯も何度かお辞儀をしながら、笑顔で言い、仁志を北里千満子に紹介した。

「私の仕事を手伝ってくれております」

「ようこそ、いらっしゃいました」

仁志も初対面の挨拶《あいさつ》をしながら、なにが仕事を手伝うてくれてるや、俺は金貸しとちゃうで、と心のなかで言った。

リーダー格の男が、どうぞこちらへ、と大声で呼んだ。そして、横にいる若い女に、ゴム長を二足持って来るようにと言った。

仁志は、いま借用書を北里千満子に返そうと決めた。従業員たちとの植樹が終わってからのほうがいいのではという気もしたが、佐伯の突然の来訪を、千満子がいったい何事かと案じているはずだと判断したのだ。

「すみません。一分だけ待って下さい」

とリーダー格の男に言い、仁志は北里千満子を目で促して、敷地の西側へと行き、背広の内ポケットから封筒を出した。

「佐伯さんが、これをお返しするようにとのことです。どうかお受け取り下さい」

土まみれの手を上着で拭《ふ》き、封筒を受け取ると、北里千満子は、二十メートルほど離れたところで、黒いビニール・ポットのなかの土から伸びている苗木に見入っている佐伯に視線を投じたまま、封筒の中身を出した。

「破るなと焼くなと、お好きに処分なさって下さい」

その仁志の言葉に、

「まだ十万七千円残ってるんですけど」

と千満子は言った。

「でも、これはいま北里さんにお返ししました」

千満子は封筒を上着のポケットに入れ、佐伯が立っているところに行き、何か言いかけたが、リーダー格の男に、急ぐようにと言われて、従業員たちの輪のなかに入って行った。

おとといの植樹祭には、この本物の森づくりを応援してくれる人たちが全国から集まってくれて、好天のもと大盛況で終えることができた。

仕事で、おとといは参加できなかった皆さんのために、社長はあえて一万八千二百八十本の苗木のなかの千五百本と、それを植える場所を残してくれた。

みんなに余計な仕事を増やすためではないことは、あえて説明しなくてもいいと思う。

この本物の森づくりの陣頭指揮をとって下さった植物学者は、世界中に三千万本の木を植えた人として知られている。

その先生の説く「潜在自然植生」に基づく調査によって、この丹後の久美浜に植える苗木は五十六種類だ。それを、いまから皆さんも植える。

十年先、二十年先、三十年先、きょう自分が植えた苗木がどのように成長し、いかなる立派な木となっているか、それを見ることの歓びを全員でわかち合うためだ。

それでは、植樹の方法を教える前に、森の中心となる主木の、会社組織に喩《たと》えると三役と五役くらいは知っておいてもらうための説明をする……。

リーダー格の男は、一本の苗木を持った。

「これがタブノキです。皆さん、大きな声で、タブノキ、タブノキ、タブノキと三回言って下さい」

顔を紅潮させた男の口調と表情がおかしかったらしく、従業員たちは笑ったが、声を揃《そろ》えて、その木の名を三回連呼した。

タブノキは常緑高木で、本物の自然の森の主木であると男は説明した。

次に持ち上げたポット苗はシイノキで、その名も三回連呼させた。その次はシラカシだった。

順番でいくと、つまりこの三種の木が、森の三役というわけだなと仁志は男の説明に聞き入ったが、立ちつづけて話を聞いている佐伯が、体全体をステッキにあずけるようにしていたので、走って車のところに行き、折り畳み椅子《いす》を持ってきた。

「あの人の説明、長そうですから」

と仁志は言い、佐伯をその椅子に坐《すわ》らせた。

アラカシ、ウラジロガシ、アカガシ……。

リーダー格の男は説明をつづけ、

「タブノキとシイとカシ類を中心として、それを支える三役五役がヤブツバキやモチノキ、シロダモ、ヤマモモなどです」

と声を張りあげて言った。

「すでに、木の生育に適した土はたくさんここに運ばれて、マウンド状に盛られています。ですから、斜面になっているところもあります。この常緑高木は、深根性直《しんこんせいちょっ》根性《こんせい》ですから、成木の移植はとても難しいのです。いまから、植え方を説明します。女性がお化粧をするのと同じで、森にも少しはお洒落《しゃれ》をさせたいので、つまり森に裾《すそ》模様を配するために縁のところにはカンツバキ、クチナシ、ヤマブキ、ムラサキシキブ等を植えます。いずれにしても、同じ種類の木を二本、三本と並べて植えてはいけません。本物の森を作るには、混植、密植が鉄則です。これが最も大切な点です。混じぇる、混じぇる、混じぇる」

また従業員たちが笑った。

リーダー格の男の語り口調が、植物学者のそれと同じになってきたからであろうという気がして、仁志も笑った。佐伯も笑みを浮かべていた。

「混じぇるということが、生物社会の掟《おきて》であって、人間も同じです。好きなやつだけ集めるのは健全ではないのです」

男は、すでにおとといの植樹祭でも木を植えたらしい数人の若い従業員を手伝わせて、土の掘り方、苗の植え方などを教えてから、

「さあ、始めましょう」

と言った。

それぞれが植える場所はすでに決められてあり、アルファベットで区分ごとに立て札が設けてあった。

全員が立って説明を聞いているときに、自分だけ椅子に腰掛けたのだから、佐伯の膝《ひざ》はよほど痛んでいて、三十本もの苗を植えるのは無理だと判断し、

「ぼくがふたり分を植えます」

と仁志はリーダー格の男に言い、革靴をゴム長に履き替えた。

一メートル四方のなかに、ちょうど正三角形になるように三本の異なる苗木を植えるのだが、隣の人が植えた木と同じ種類の木を並べてはならないのだ。

「いや、そうやのうて、こうです。植え終わったら、苗木の下のほうを、こう優しくつかんで、ちょっと持ち上げてやるんです。二、三センチくらいかな」

髪を短く刈った、二十歳くらいの青年がしばらく手本を示してくれた。

「俺は、なんでこんなとこで、どろんこになって、知らん人らと木を植えてんねん？」

たちまちだるくなってきた背筋や腰をときおり伸ばしたりさすったりしながら、仁志は心のなかで言った。

「ほんまに、人生、一寸先は闇《やみ》やがな。土いじりなんて、小学生のとき以来やなァ」

そうひとりごちながら、九本の苗木を植え終わると、隣で作業していた中年の太っ

た女が、

「これは何の木ですやろ。おたくさんが植えはった木とおんなじですやろか」

と訊《き》いた。

「ありゃ、おんなじですねェ。違う木に植え替えなあかんけど、こっちとこっちを入れ替えたら、上の木とおんなじのが縦に並びますねェ」

仁志は別の苗木を探すために斜面を降りながら、佐伯が折り畳み椅子に腰掛けていた場所に目をやった。佐伯はいなかった。

車のなかにもいないので、八千坪の敷地内を見廻すと、佐伯は通用口となるのであろう一角にすでに植えられている苗木を見ていた。

苗木を植えたら、そこに藁をぶ厚くかぶせる。下の土が見えなくなるほどにかぶせて、それが風で飛んだり雨に流されないように縄を張るのだ。

その縄張りのための棒も土中にしっかりと埋め込まなければならないし、縄の結び方にも決まりがあった。

風が強くなってくると、泥だらけの指がつりそうで、仁志は何度か指を揉《も》まなければならなかった。

「このタブノキは凄《すご》いそうですよ」

と斜面の下側で作業をしている青年が言った。

仁志は、青年が自分に話しかけているとは思わなかったので、

「何の因果でこんな目に……」

とつぶやきながら、苗木を植えつづけた。

「昔、山形県の酒田市で二千戸近い家が焼けてしまう大火があったとき、なんとかっちゅう旧家にあった二本のタブノキが、その火をくい止めたそうですし、関東大震災でも、潜在自然植生の庭園に逃げ込んだ二万人は、タブノキの壁で助かったんやそうです」

仁志がまくりあげたワイシャツの袖《そで》で汗を拭きながら、うしろを振り返ると、白いタオルをバンダナ代わりにした男が笑みを向けていた。

「へえ、なんでこのタブノキに、そんな力があるんですか？」

仁志はそう訊き返して、植えようとしていたタブノキのポット苗を頭上にかかげた。

「こういう常緑広葉樹には、水分がぎょうさん含まれてるから、木が消火器になってくれるらしいですよ」

「木から水が噴き出るんですか？　消防車のホースみたいに」

この木が大火をくい止めるなんて信じ難い。仁志がそう思っていると、

「ぼく、北里千満子の息子です」

　と青年は言った。

「きょうは、ちょっと仕事をサボって手伝いに来たんです。お母ちゃんと、お姉ちゃんの亭主に言われて、いやいや参加したんですけど、苗木を植えるって楽しいですねェ。百年たったら、ここはどないなんねんやろ。百年後、ぼくは見られへんけど、五十年後やったら、見られる可能性はありますよね」

　三十二年前に一歳だったのだから、いまは三十三歳になったのだなと仁志は思った。

　二十本近い苗木を植えたころから要領がわかってきて、ゆるやかな斜面の上と下で作業している人の植える木と同じ種類のものを重ねないための判別も素早く出来るようになると、仁志は、にわかに楽しくなってきた。

　そうなると、自分の植えた木が八千坪の敷地内のどこにあるのかを正確に記憶しておこうという思いが生じて、仁志は作業の手を少し休めて立ちあがり、敷地全体を見廻した。

「あそこに工房が建つんです」

　と北里千満子の息子は、自分の後方を指さした。

「そやから、ここは工房の裏側にあたりますね。ぼくも場所をよう覚えとかんと。これだけの数の苗木が成長したら、自分の植えた木がどれなんか、わからんようになりますもんね」

その人なつこそうな喋《しゃべ》り方と、豊かな頰を持つ童顔が、北里千満子の息子をまだ二十代前半に見せた。

仁志は自分の姓名を名乗り、

「ぼくは、この苗木の十年二十年後のことは想像してみましたけど、百年先のことまでは考えもしませんでした」

と言った。その自分の言葉に、俺もお前も百年後の森なんか見られないではないかという揶揄《やゆ》口調がこもっていたことに、仁志は幾分かの自己嫌悪《けんお》を感じた。

「ぼくは北里虎雄です。タイガーの虎に、英雄の雄」

「はあ、タイガーですか」

「もし、ぼくにことし子供ができたとしても、百年後には、その子も生きてないですもんね。たぶん、そのころには、ぼくの孫が、かなりの年寄りになってるやろなぁって、苗を植えながら考えてたんです」

こいつ、ちょっと変てこで、おもろいやっちゃがな。

そう思いながら、ここの工房は、いったい何を製造するのかと仁志は訊いた。

「料亭に工房があるっちゅうのも、ぼくはあんまり聞いたことがないんです」

虎雄は泥だらけの指で鼻の頭を掻《か》き、

「お店が作るいろんな食品です。ほとんどはお店で出すのんとちごうて、デパートとか支店とかで販売してるやつです」

と言った。

この料亭で人気の高い菓子とか、ちりめん山椒《さんしょう》とかを作る工房で、これまでは京都市内の工房で製造していたが、そこが手狭になったのと、社長が自分のふるさとに少しでも役立てばと、この地への工房移転を決めたのだと北里虎雄はつづけた。

社長とは前の女将《おかみ》のことだ。いまは娘が跡を継いで女将となった。料亭は会社組織になっているので、創業者の女将をいまは社長と呼んでいる、ということも教えてくれた。

「鯛《たい》の梅茶漬、かたくちいわしの梅煮、どんこ椎茸《しいたけ》の炊《た》いたん、鱧《はも》茶漬……。買う人は、ほとんど贈答用に使いはるので、お中元とかお歳暮のシーズンは、工房はフル稼《か》働《どう》やそうです」

「えっ？　ここにお勤めやないんですか？」

仁志は、北里虎雄も工場か料亭で働いていると思い込んでいたのだ。

「ぼくは京都の東山区にある陶磁器店に勤めてます。というても、社員はぼくひとりですけど」

「陶磁器……。ということは、焼物を造ってはるんですか？」

「いえ、売り買いのほうで、ぼくは土なんかこねたこともないです」

虎雄は笑いながら言い、自分が植樹したところへ敷く藁《わら》を取るために斜面を降りていった。

佐伯は、折り畳み椅子の近くに戻って、リーダー格の男に手渡されたらしい小冊子を読みながら、五十六種類の苗木が入れられてあるプラスチックの箱の前に立っていた。

佐伯の分の苗木も植え終わり、他の人たちの作業を手伝い、藁を敷き、杭《くい》を打ち、藁縄を張り巡らせているうちに、きょうここにやって来た人のなかには、料亭の板前やその見習いや、仲居たちもいることがわかってきた。

藁を敷いた箇所への水撒《ま》きをしながら、リーダー格の男がまた大声で説明を始めた。

「この苗は、人間でいえばまだ赤ん坊です。ドングリから芽を出させて、それからポットのなかに植え替えられて二年たったものです。赤ん坊ですから、風などから守ってやらなければいけませんし、表土も裸のままやと水分が蒸発したり、雨で流れてしまいます。そのために藁をぶ厚く敷くんですが、これはやがて土に還《かえ》って養分となります。木の杭も藁縄もおんなじです。雑草が生えてきたら抜いて、根を上にしてそのままにしておきます。二年間は人間が世話をしてやって、あとは放っておけばいいのです」

それから、仁志は指定されたとおりに長いホースを引っ張ってきて、苗木の周辺と藁に水を撒いた。

作業を終えた者たちは顔と手を洗い、思い思いの場所に腰を降ろして、水や茶を飲み始めた。

車のなかに戻っている佐伯に、紙コップに入れた熱い茶を運んで行く北里千満子と虎雄のうしろ姿を見やってから、仁志は、自分が植えた六十本の苗木が真ん中におさまるように携帯電話で写真を撮った。

そこはマウンドの下のほうだったので、リーダー格の男に勧められてムラサキシキブとクチナシも植えたので、仁志はその二本は近くから撮り、五十六種類の苗木の名が印刷された紙を手に取った。

――〈高中木〉三十三種類〈高木十四種プラス中木十九種〉シラカシ　アラカシ　アカガシ　ウラジロガシ　コナラ　クリ　カツラ　クルミ　コブシ　スダジイ　タ

ブノキ　ナツツバキ　ヤマザクラ　ヤマボウシ　イロハモミジ　ヤブツバキ　アキニレ　エゴノキ　エノキ　カクレミノ　クワ　ホオノキ　クロガネモチ　サカキ　サンゴジュ　シロダモ　ソヨゴ　ネズミモチ　ヒメユズリハ　モチノキ　ヤブニッケイ　ヤマモモ　ユズリハ。

――〈低木〉二十三種類　カンツバキ　アオキ　アセビ　ガマズミ　クチナシ　サザンカ　サツキ　シキミ　シモツケ　ジンチョウゲ　センリョウ　チャノキ　ツクバネウツギ　ヒラドツツジ　トベラナンテン　ヒサカキ　ベニカナメモチ　サンショウ　マサキ　マンリョウ　ムラサキシキブ　ヤツデ　ヤマブキ。

自分が名前だけでも知っている木は何種類だろうと、仁志が紙に見入っていると、いつのまにか虎雄が側《そば》に立っていて、先生から呼び出しの電話があったので、急いで店に帰らなければならなくなったと言い、自分の名刺をくれた。

「ぼくは名刺を切らしてしもて……。携帯電話の番号を言います」

虎雄がそれを自分の携帯電話に入力しているとき、休憩していた者たちがいっせいにあと片づけを始めた。

「お子さんは、いつ産まれる予定ですか？」

と仁志は訊いた。

怪訝《けげん》そうな表情で虎雄は仁志を見つめた。

「さっき、産まれた子供も百年後のこの森は見られへんて……」

「ああ、あれは、もしそうなってもっちゅうことで、ぼくは結婚どころか、つきおうてる女の人もいてません」

照れ笑いをして、足早に正門のほうに走りかけた北里虎雄に、先生というのは、この森作りの提唱者である植物学者なのかと仁志は訊いた。

「いいえ、ぼくの店のご主人です。お客さまがおるところでは社長て呼びますけど、そうでないときは先生とお呼びします」

そう大声で応じ直し、母親に手を振りながら、北里虎雄は正門の脇《わき》に停めていた車に乗った。

あと片づけを手伝い、リーダー格の男から丁寧に礼を述べられ、北里千満子に連れられて自分の車の運転席に坐《すわ》ったときには、太陽は沈みかけて、八千坪の敷地すべてが朱色に変わっていた。

「宮津にいいホテルがあるそうだ。あのリーダーの人が教えてくれたよ。ビジネスホテルに毛が生えたようなホテルだけど、朝食のバイキングがおいしいそうだ」

と言い、佐伯はホテルの名を書いたメモ用紙を仁志に渡した。

「それから、おいしい魚料理を食べさせてくれる店も教えてくれたよ。もしここに行くなら、ぜひノドグロの一夜干しを食べてみてくれって」

その店の名と電話番号が書かれた紙を受け取り、仁志は正門を出て左折し、人も車もいない道を進みながらバックミラーを見た。北里千満子が何度も何度も深いお辞儀を繰り返していた。

「鎮守の森ってのを知ってるだろう?」

仁志が右に曲がって少し行ったところで車を停め、カーナビでホテルを検索していると、佐伯がそう話しかけてきた。

「神社とか祠《ほこら》の周りにある森でしょう?」

「うん、そうなんだけどね、ぼくは鎮守の森ってのは、神社や祠を守るためにあるんだと思ってたんだ。でも、そうじゃないんだな。昔の人は、自然の森を伐採して、そこを田圃《たんぼ》や畑にしなきゃあいけなくなっても、根こそぎ切り倒して、森をすべて消滅させるなんてことはしなかったそうだ。森を少しでも残そうとしたそうだよ」

ホテルは、宮津駅から海寄りのほうへと少し北西に行ったところにあるようだと仁志はカーナビの画面を見て見当をつけ、携帯電話で撮った写真を佐伯の目の近くに差し出した。

「これがぼくのぶん。その右側の三十本が佐伯さんのぶんです」

「ぼくのぶんなんてないよ。この六十本は、みんなきみが植えたんだ」

そう言うと、自分は車のなかでずっと読書をしていたのだと佐伯は微笑《ほほえ》みながら、サイズの異なる五冊の本を膝《ひざ》に載せた。本物の森づくりの指導者である植物学者の著書、その人と料亭の社長との対談が掲載されている雑誌、植樹祭に参加した人たちに配った小冊子などだった。

仁志が車を発進させると、佐伯は、さっきの鎮守の森の話をつづけた。

森を残そうとしても、それすら切ってしまいたがる不埒《ふらち》な連中から守るために、そこに神社や祠を設けたのだから、鎮守の森とは、森を守るためのものであって、そこに祀《まつ》ってあるものを守るためではないというのが植物学者の説なのだ。

「そう教えられると、なるほどと合点《お》がいくね。確かに、ぼくが子供のころには、畑や田圃の傍らに立派な木が何本も生い繁《しげ》ってる一角があって、そこには神社ではないけど、何かを祀ってる祠とか、地蔵さんとかがあったよ。ぼくら子供でさえ、そこでは立ち小便なんかしなかった。そんなことをしたら罰《ばち》が当たるって、親や、周りのおとなたちから言われてたからねェ。でも、どう見ても、その祠や石仏なんかよりも、周りの木々のほうが立派なんだ。比べようがないくらい立派だ。だから、子供たちには、その木のほうが神さまに見える。ありがたいもののように感じてしまうんだ」

道はゆるやかに下りつづけたが、四方には低いこぢんまりとした山々が見えるだけで、すぐ近くにあるはずの海は視界には入ってこなかった。

「あれがタブノキですよ。その横にあるのがウラジロガシで、その下側のがコブシです」

仁志は車を停めて、右側の山を指差した。

「苗を植えてるとき、成木の写真を見せてくれたんです。この木は、大きくなると、こうなりますって」

「あの丈の低いのはヤマブキだ」

と佐伯も指差しながら言った。

「ということは、あの山々の森は、自然が作った本物の森ですね」

初夏の残照は濃い茜色《あかねいろ》になっていたが、そのせいで、かえって遠くの樹木のそれぞれの特色がきわだっていた。

「うん、そういうことだな」

と佐伯は言い、本物の森をしばらく観賞しないかと提案した。

仁志は車を停めたが、風は強くなっていて、春先のそれのような冷たさだった。佐伯は車のガラス窓を半分降ろして、五十メートルほど向こうの森に見入った。

満室ということはあるまいが、予約しておいたほうがいいと考え、仁志はホテルに電話をかけた。シングル・ルームはどれも朝食付きで八千五百円だった。

電話を切るとき着信記録を見たが、三件はみな友人の青木範彦《のりひこ》からで、美奈代からのものはなかった。メールは二件。大学時代の友人からの〈女に訴えられかけてる。助けてくれ〉というものと、美奈代と商売をしているときの客からのクレームだった。

しつこいやつ、このクレームのつけ方は病気やな、と思いながら、仁志はマナーモードにしたまま、携帯電話を背広の内ポケットに入れ、何気なくズボンの膝のところを見て、ありゃっと声を出した。泥だらけだったのだ。

身を屈《かが》めてズボンの裾《すそ》のほうも見ると、ゴム長を履いていたにもかかわらず、あちこちに泥がこびりついている。

「どうしたんだ」

と佐伯に訊《き》かれて、仁志は車から降りると、自分のズボンを見せた。

「気がつかなかったのか？　お尻《しり》のほうはもっとひどいよ。上着は車に入れてたから汚れてないけどね」

「えっ？」

首を捻《ひね》ってズボンのうしろ側を見ると、尻のところから太腿《ふともも》のほうにかけて泥がついていて、それはもう乾いてしまっていた。

慌《あわ》てて掌《てのひら》ではたいてみたが、表面の泥は取れても生地に吸収されたものは大きな土色のしみになって消えなかった。

「ワイシャツだって、かなりなもんだよ。あれだけ土いじりをしたんだから当然だな。気をつけてても、自然につくだろうなァ」

佐伯はそう言うと、泥まみれといってもいいほどの仁志のワイシャツとズボンを微笑混じりの優しい目で見つめた。

この人はなんと優しい目を持っているのかと、思いがけないものをみつけた心持ちで仁志は佐伯の目に眺め入った。が、すぐにあしたのことに考えが及んで、困ったことになったと舌打ちをしかけて、かろうじてそれを止めた。佐伯は、舌打ちなどという行為を嫌う人であるはずだと思ったのだ。

背広はこの一着きりしか持ってこなかったし、ワイシャツも一枚しかない。

朝は、動揺しながら大慌てで仕度するしかなかったので、その場しのぎで背広に着替え、靴下を履き替えたが、長ければ二、三週間の旅になるのに、背広もワイシャツも靴下もひとつだけではどうにもなるまい。

下着と靴下は、夜、ホテルで自分で洗濯すれば、朝にはなんとか乾いているだろうが、背広とワイシャツはそうはいかない。クリーニング屋をみつけても、夜に渡したものを朝までに仕上げてくれたりはしない。さて、どうしたものだろう。

ワイシャツと靴下と下着は、新しいものを買うとしても、背広を買う金はない。皺《しわ》だらけの、だらしなく型崩れしたズボンを穿《は》きつづけたら、またこの佐伯に叱《しか》られるに決まっている。

仁志は、佐伯が行こうと言うまで運転席に坐って、山々の木々に視線を投じながらも、心のなかは、泥で汚れたズボンとワイシャツのこと以外ないという状態になってしまった。

「きみたち若い人は、いつもどういう店で背広を買うんだ?」

と佐伯は訊いた。

たいして収入もないのに、着るものだけは金をかけるという連中もいるが、自分は大学を卒業して以来、量販店で買ってきたと仁志は答えた。

「いまの若いサラリーマンは、たいていそうだと思います。ああいう店は、サイズだけは豊富ですし、少しお金を出せば、ズボンが二本買えますし、裾丈なんか二十分もあれば、さっさとミシンで縫って合わせてくれますから。サラリーマンにとったら、背広もワイシャツもネクタイも靴も消耗品ですから、中年の課長や部長クラスの人でも、量販店で買う人は多いです」

通り過ぎて行く車はどれもライトを点《つ》けていて、木々の葉の色は識別できなくなっていた。

佐伯が、とりあえずホテルにチェック・インしようと言ったので、仁志は宮津のほうへと車を走らせた。

「北里さんは、娘さんのお産のために久美浜に来てたそうだ。無事にお産が済んでも、一カ月くらいは子育てを手伝ってやりたくて、福知山の勤め先に休暇を願い出たら、あっさりと馘《くび》になっちゃった。相手は人減らしをしたがってたから、いい口実ができたってとこなんだろうな。娘さんや、そのご亭主は、長いあいだ働きつづけてきたんだから、これを機会に少し体を休めてくれって勧めてくれてねェ。でも、北里さんは、お父さんが遺《のこ》した借金は、どんなことがあっても私が返さなきゃあいけないって。他の借金は先々月に全部返し終えて、残ったのはこの佐伯平蔵のぶんだけだ。もうそれだけだから、どんなに安い時間給のパートでも、雇ってくれるところはないものかと思ってたら、あの工房で地元の人を採用してくれるってことを知って、応募してみたんだそうだ。そしたら、採用されたんだよ」

佐伯は、北里千満子から聞いたことを話しながら、鞄《かばん》をあけて何かしていた。

宮津なのか峰山なのかわからなかったが、そのどちらからしい町に洋服の量販店の大きな看板が照明で浮き上がっていた。仁志は、佐伯をホテルにチェック・インさせたら、あそこでとにかくワイシャツと靴下を買おうと決めて、ホテルのほうへと道を左折しかけた。

すると、顔の横に一万円札が何枚か突き出された。

「これで、背広やワイシャツなんかを買いなさい。北里さんの件は、きょう一日で済んだけど、これから逢《あ》う人が、こっちの思惑どおりの日数で片づくとはかぎらない。よれよれの貧乏臭い背広なんかを着てたら、足元を見るやつもいる。背広は三着くらい買っときなさい」

「三着もですか？　ぼく、そんなに要らんのですけど。家に帰ったら、夏物が一着ありますし、これからどんな職に就けるかわかりませんし。佐伯さんへの借金を、これ以上増やしたくないんです」

「誰が貸すって言ったんだ」

その言葉で、仁志はバックミラーに映っている佐伯を見た。

「これは、ぼくの用事を済ませるための必要経費だ。安くても、品のいい背広やネクタイを選ぶんだぞ。羽根の抜けた孔雀《くじゃく》みたいなものを買うんじゃないぞ」

国道の両脇に店舗が多くなり、「丹後ちりめんの里」という立て看板があるところを通り過ぎると、仁志は礼を言いながら紙幣を受け取ったが、どこか釈然としない思いがあって、

「今回の旅は、長びけば二、三週間になるかもと仰言《おっしゃ》いましたが、それだけのことで、こんなにたくさんのお金をぼくに下さるんでしょうか」

と訊いた。訊きながら、羽根の抜けた孔雀のような背広とは、いったいどんな代物《しろもの》であろうと思った。成金のおっさんの玉虫色の生地の背広であろうか。極楽鳥なんかが描かれてあるネクタイであろうか……。

受け取った一万円札はどれも新札で、手触りでは十枚以上ありそうだった。

この金で衣服を整えたら、抜き差しならないところへ引きずり込まれそうな気がしたが、要りませんと返したら、あした着る背広もワイシャツもないが、それよりも自分なんかどこかへ吹っ飛んでしまいそうなほどに叱られるであろう。そのほうがはるかに怖い。

仁志は、

「進退ここに窮《きわ》まれりやなァ」

と胸の内で言い、ビジネスホテルともリゾートホテルともつかない造りの五階建てのホテルの玄関に車を停めた。

ロビーは狭かったが、建物そのものは新しくて、喫茶室とレストランを兼ねたスペースは広かった。

仁志は、佐伯の荷物もフロントに運び、車をホテルの西側の駐車場に入れると、急ぎ足でホテル内に戻りながら、紙幣の枚数をかぞえた。二十万円だった。

部屋は、シングルベッドとテレビと冷蔵庫、それに脚の短い椅子《いす》がふたつ置いてあるだけだが、天井が高くて、息が詰まるような閉塞感《へいそくかん》はなかった。

仁志は、佐伯のジャケットを小さな洋服箪笥《だんす》のハンガーに掛け、隣の自分の部屋に行くと、窮屈なバスルームでズボンを脱いだ。

タオルを水で濡《ぬ》らし、それを固く絞ると、ズボンにこびりついた泥をぬぐっていったが、生地に染《し》み込んでしまったのは容易に取れなかった。

こんなことはあと廻しにして、先に背広やワイシャツを買いに行くほうがいい。都会の量販店と違って、地方の町では閉店時間が早いかもしれない。

仁志はそう考えながら、濡れタオルでぬぐったために湿ってしまったズボンを穿き、佐伯が渡してくれた封筒のなかの紙幣を出した。

これは多すぎる。佐伯は洋服の量販店で売っている背広の値段を知らないのだ。店には少し高級なブランド物も置いてあるが、そんなものを買う必要はない。二万円台のもので充分なのだ。

ツーパンツの背広を三着にワイシャツを四、五枚。それにネクタイを二本、革靴を一足買うとしても、十万円と少々といったところだ。

仁志は、ベッドサイドの台に置いてある電話で佐伯にそのことを説明しようと思い、受話器を持ったが、あの老人は意外にいまの世の中のことに詳しいのではないかという気がした。

金貸しを始めて何年たつのかわからないが、少なくとも三十二年以上はたつ。世の中の動き、流通の変化、物価、庶民の関心事や懐《ふところ》具合。それらを把握しておかなければ、金貸し業をつづけていくことなど出来はしまい。

この二十万円は、これから誰と逢おうとも恥ずかしくない格好をしろという意味が含まれているのかもしれない。

仁志はそう考えて、佐伯の部屋に電話をかけ、これから背広やワイシャツを買いに行ってきてもいいかと訊いた。

「ついでに、料理屋さんに寄って予約をしてきます。食事は何時からになさいますか？」

「いまは六時過ぎか。きみはお腹《なか》がすいてるだろう。畑仕事をしたようなもんだからなァ。七時半にしよう。一時間で服を選んで、寸法直しをしてもらえるかい？」

「大丈夫です。ああいう店では少し上等な部類に入るのを買ってもよろしいですか？」

「渡した金額の範囲内で好きなものを揃《そろ》えなさい」

仁志は、何か買って来てほしいものはあるかと訊いた。

「大福餅《もち》とか草餅とか、もなかとか、ああいう餡《あん》を使った菓子があったら、五つ六つ買って来てもらおうかな」

と佐伯は言った。寝る前に、そういうのを一個食べるのが、自分の楽しみのひとつなのだという。

仁志は、ホテルの部屋の窓から見えている量販店の看板を見て、およその見当をつけると、車を運転して駐車場から出た。

佐伯が求めているような和菓子はコンビニよりも食料品のスーパーのほうが品揃えが豊富だろうと考えた。

さほど大きくないスーパーには、五個入りのみたらし団子ともみじ饅頭《まんじゅう》しかなかったので、仁志はもみじ饅頭を買い、それから洋服の量販店へと向かった。

仁志がこれまで買った背広は、どれも一万九千八百円か二万九千八百円という価格のものばかりで、いちばん高いのは、父の再婚相手として嫁いできて、仁志たち兄弟の新しい母となった雅子《まさこ》が、大学卒業の祝いとして買ってくれたイタリア製で、十二万円の代物だった。

雅子は、仁志が二年間勤めた会社を辞めた年に乳癌《がん》で死んだ。仁志たちの実の母と同じ病気だった。

だから、父の清久《きよひさ》は、最初の妻とふたりめの妻にともに乳癌で先立たれたことになる。

仁志は、濃いチャコールグレーのと、濃紺の地に細い青の縦縞《たてじま》が入っているのを選び、三着目はどんなものにしようか迷ったあげく、濃いグレーにした。

裾丈《すそたけ》を合わせてもらっているあいだにネクタイも三本選んで、それから黒い革靴を一足買った。ネクタイは、派手な色を使っているのは避けた。

ワイシャツも四枚買ってから、料理屋に電話をかけて予約し、ホテルの駐車場に帰ると、車のなかで携帯電話を見た。

気はすすまなかったが、メールで女に訴えられかけているとしらせてきた染井《そめい》孝次《こうじ》に電話をかけた。

女にだらしのないやつだから、そのうちひどい目に遭うだろうとは思っていたので、放っておけばいいとも考えたが、染井とは今後の職探しのためにもつながりを持っておきたかったのだ。

電話に出てきた染井に、どの女に、どんな理由で訴えられようとしているのかと仁志は訊いた。

「酔うてたから、よう覚えてないねんけど、鈴美《すずみ》のマンションの部屋に入るなりケンカになってなァ。かっとなって、鈴美の顔を殴ったんや。それから、テーブルの上にあった電気スタンドを思いっ切り床に叩《たた》きつけて、もうこの女とはこれで終わりやと思いながら、部屋から出て帰って来たんや。殴ったいうても、酔うてたから、ほとんど空振りで、指の先がちょっとかすった程度や。そやのに、きょうの昼頃、会社に電話をかけてきやがって、医者の診断書を貰《もろ》うて、壊れたスタンドと、へこんだフローリングを写真に撮ったって言いよんねん。従兄《いとこ》の警察官に相談したら、すぐにそうするようにと指示されたそうや。あいつの従兄が警察官やなんて知らんかったなァ」

笑い声を交えての染井の話し方で、これは本気で怯《おび》えて虚勢をはっているのだと仁志は感じた。

「殴ったんか……。それはあかんがな。殴ったらあかんで。訴えられてもしょうがないやろ。ただもうひたすら謝りつづけて、許してもらうしかないがな」

仁志はそう言いながら、二、三度逢ったことのある鈴美という女の顔を思い浮かべた。中堅の証券会社に勤めていて、絶えず強い光を放つ大きな目をまっこうから人に注いでくる女で、仁志は、染井がつきあっている幾人かの女のなかでは最も苦手だった。

「あいつ、お前をこれからどうやっていじめてやろうかと、あの獰猛《どうもう》な目を光らせて、舌なめずりしてるで」

「怖いこと言わんとってくれよ。俺、訴えられたらどうなるねん？　刑務所に入らなあかんのけ？」

染井が語尾に「け？」をつけるときは、格好なんか捨て去ってしまったときなのだ。大阪河内《かわち》の言葉に似ているが、京都の下町言葉でもあることを、仁志は染井と親しくなって初めて知った。

「とにかく、許しを乞《こ》いつづけることやな。それ以外には……、まずそのへこんだフローリングの床を修理することや。賃貸マンションやから、部屋の床は鈴美のもんやあらへん。さっさと修繕せえへんかったら、マンションの大家からも訴えられるぞ。

謝るのも、電話やメールではあかんぞ。直接逢《お》うて謝るんや。おでこがすりむけるくらい土下座をするんやなァ」

親父《おやじ》さんのご威光にすがろうなどとしたら、事はかえって厄介になるぞと仁志はつけ加え、腕時計を見た。七時十分だった。

ここから料理屋までは車で五、六分だが、佐伯の膝《ひざ》はいつもより痛むようだから、七時十五分には部屋に迎えに行ったほうがいいと仁志は考えた。

「親父に相談なんかしたら、とんでもないことになるがな」

染井はそう言って電話を切った。

染井孝次の父は、京都の府会議員なのだ。

染井は、この窮地を脱するためには鈴美と結婚さえしかねない。あいつには、その場しのぎのためになさけなく腰くだけになってしまうところがあるし、移り気で信頼できないが、府会議員になって三期目の親父さんに就職の世話を頼むという最後の手段のためには、ここはひとつ恩を売っておくという手もある。

とにかく、早く働き口をみつけないことにはどうにもならないのだ。あの下京区の「人間止め」の奥の小路のさらに奥に軒つづきで並ぶ平屋のあばら家は、京の町家といった趣などとは程遠い代物だが、家賃は四万二千円なのだ。

元は六畳と三畳の座敷に狭い縁側がついていて、洗濯物が干せる程度の庭があったそうだが、二十年ほど前に住人の総意で三畳の間を風呂場《ふろば》に変える工事をしたという。ユニット・バスに毛が生えたような風呂場で、浴槽は畳半分の大きさしかないが、そのために縁側は取り払われ、洗濯物を干したり取り入れるには、いったん表へ出て裏へ廻らなければならない。風呂釜《がま》も外付けだ。

築五十年以上の木造の家は隙間《すきま》だらけで、風の強い冬は、そこから笛に似た音が鳴りつづける。

それでも、他に四万円くらいの家賃のアパートはみつからなかったし、交通の便の良さだけが取り柄だと己に言い聞かせて借りたのだ。

その家賃は毎月の末に銀行口座から引き落とされる。そして、その安い家賃代すら、いまの自分の口座の残高では払えないのだ。

仁志は一瞬絶望感のようなものに襲われ、我知らず顔をしかめてつぶやいた。

「もうあかん。ここでこんなことをしてられへん。植樹なんかしてる場合か」

三つのスーツ・バッグと、ワイシャツやネクタイの入った手提げ袋を持ち、駐車場から出て、ホテルのロビーへと急ぎながら、こんなときは、せめて就職が決まって給料を貰《もら》えるまで実家に身を寄せるのが最良の策なのだが、親子の縁を切られたのだから、それもできないと仁志は腹が立ってきた。

親が我が子を勘当するなどというのは余程のことだが、いったい自分がそこまで父の逆鱗《げきりん》に触れるような愚を犯しただろうか。

何か犯罪に手を染めたわけでもなく、家族の誰かに取り返しのつかない迷惑をかけたわけでもない。

最初の会社を辞めて二年後に、契約社員として勤めた不動産会社での仕事中に交通事故を起こした。その会社のライトバンには自動車保険がかけられていたにもかかわらず、車の修理代は自己負担だと言われ、他に頼るところもなくて父に相談した。

そのライトバンの修理代は三十万円ほどだったが、夜道のどこかから不意に走り出て来た無灯火の自転車を避けようとして酒屋のシャッターに突っ込んだのだ。シャッターは大きく歪《ゆが》み、その衝撃で店内に並べてあったウイスキーやブランデーの壜《びん》が八本割れた。

車の修理代よりも、酒屋への弁償額のほうがはるかに多くて、両方で百万円と少しになってしまった。

あのときの父の怒り方や罵倒《ばとう》の言葉はいまでも忘れない。

良兼《よしかね》と尊人《たかと》と比べたら、お前は屑《くず》だ。子供のころからずっとそうだった。俺は、お前が中学生になるころに、じつはすでに見捨ててしまっていたのだ。こいつはどうにもならない。長男の良兼と三男の尊人が、お前のぶんを補ってくれるだろうから、仁志という子はいなかったと思おう、と。

その俺の読みはやはり当たっていた。お前は、なまけ者で反抗的なだけの、努力というものとは生涯無縁の屑だ。この交通事故の始末をつけなければ刑事事件になり、俺は犯罪人の父親ということになってしまうから、金は出してやるが、生活や性格を改めなければ、遅かれ早かれ、親子の縁を切ることになる。それを覚悟して、これからはまともな人間になれ。

仁志は、そのときの父の表情まで思い出しながら、エレベーターに乗り、佐伯の部屋までの廊下を歩いた。

まともな人間になれ、だと？　俺はまともな人間だ。あんたは、再婚に反対して家出をし、盛り場でケンカに巻き込まれて補導され、家につれ帰られてからも口をきかなかった中学二年生の俺を憎んだだけなのだ。

兄貴も弟も、ずるがしこくて、ガキのくせして世渡り上手で、家にやって来た新しい母に気に入られようと、見ていると胸糞《むなくそ》が悪くなるほどだった。自分たちの実の母が死んで二年もたっていないというのに。

確かに期待どおりに、長男は医師となって、おととし開業したし、三男は去年税理士の試験に合格した。屑の次男は三流の私大を卒業したあと、怪し気な健康食品の販売会社にしか採用されず、そこもたったの二年で辞めたあとは、さまざまな職を転々としたあげく、先の見通しのないまま女と商売を始めて、たちまち頓挫《とんざ》し、借金をかかえて親に助けを求めてきた。

それ見たことか、予言どおりになったではないかと、あんたは思ったことだろう。

大阪の公立高校で英語の教師をつづけてきて、ことしの三月末に定年となったあんたは、二度目の妻が親から引き継いだかなりの遺産を手中にしているが、そこにさらに退職金が加わり、そのうえ死ぬまで年金が入るのだ。

それにしても、あんたはなぜ、三人の子のなかで、この俺だけを嫌うのだ。自分の再婚を露骨に拒否したからだけなのか?

仁志は、佐伯の部屋の前に立つと、すぐにドアをノックせずに、しばらく手で髪を整えたり、父への感情をひきずっているであろう表情を消そうとして、声をたてずに「あいうえお」と大きく口を動かした。

佐伯は、ベッドにあお向けになって、北里千満子から貰った幾冊かの単行本や雑誌や小冊子を読んでいたのだと言った。

仁志が、余った金を渡してから、選んだ背広やネクタイを見せようとすると、佐伯は、そんな必要はないと身振りで制して、

「お腹が減ったろう。ぼくも、あんな昼食だったから、急に腹ぺこになってきたよ」

と言った。

そう訊《き》きながら、仁志は佐伯が靴を履くのを手伝い、買って来たものを隣の自分の部屋のベッドの上に置いた。

「膝の痛みはおさまりませんか？」

エレベーターでロビーに降り、中年の男がひとりいるだけのフロントのところに行くまでのあいだ、佐伯は何か深く物思いにふけるかのような風貌《ふうぼう》を見せていた。

仁志は、佐伯の体を支えるようにしてフロントの前にある椅子《いす》に坐《すわ》らせると、車を玄関前に廻して、佐伯を迎えるためにまたロビーへ戻った。

膝の痛みが持病になってから、二十五、六年がたつが、これほど痛い日はかつてなかった、と佐伯は言って、ゆっくりと後部座席に腰掛けた。

「マッサージをしてもらったらどうでしょうか。たいていの旅館やホテルは、マッサージ師と契約してて、頼んだら部屋まで来てくれますが」

そう言って、仁志は宮津の中心部へとつながる道へ出た。さほどの人口があるとは

思えない静かな町なのに飲食店の数は多くて、どこも営業していた。

「他人に体をさわられるってのが、あまり好きじゃなくてね。それに、この膝はマッサージしたからって、よくなるもんでもないんだ」

佐伯は言って、車の窓から道の両側をしきりに見つめつづけた。

この宮津も峰山町も、かつては丹後縮緬《ちりめん》の産地として活況を呈したが、いつのころからか化繊や外国製品に押されて不況となってしまった。そんな状態が長くつづき、市や町では、山をつぶして、そこに工場を誘致しようという案を実行に移した。

あの料亭に、もし京都市内の工房を移転する計画があるのなら、ぜひ久美浜をその地として選んでくれないかと話が持ち込まれたのは、あそこに工場を造る予定だった会社が倒産してしまったからだ。

料亭の女将《おかみ》、つまり今の社長は、そんなに広い土地は必要ではなかったので、さてどうしたものかと思案したが、ちょうどそんな折、本物の森造りを提唱し、すでに各地で「潜在自然植生」に基づいて独自の植樹法を行なってきた植物学者の存在を知った。

自分も自分の工房の周りに本物の森を造りたい。

女将は、その植物学者の思想に共鳴し、久美浜のあの土地でならそれが可能だと考えたのだ。

二十年先、三十年先、五十年先、百年先、二百年先……。年ごとに森は大きくなり、その豊かな森に囲まれた工房は、ひとつの夢のような世界のなかで製品を作りつづける場となるだろう。

多くの人々は、その森を求めてやって来て、散策し、語り合い、本物の森のすばらしさに癒《い》やされるだろう。

そうやって、心身を森と触れ合わせたい人々が、丹後縮緬の衰退によって活気を失《な》くしたこの地にたくさんやって来たら、自分のふるさとに新たな活力が生まれるに違いない。

彼女はそう考えると即座に行動を起こした。植物学者に逢《あ》いに行き、指導を求め、行政機関や金融機関に足を運んだ。

行政側が条件とする「地元民の雇用」は、彼女にとっても望むところだった。

経営者であるかぎり、当然、森造りによって自分の商いの新しい展開ということも視野のうちであろうが、彼女の着眼力と行動力は誰もが真似《まね》られるものではない。

娘が久美浜で暮らしていたことで、北里千満子は新しい職場を得たが、そこはやがては五十六種類もの樹木が潑溂《はつらつ》と生《お》い繁《しげ》る森となり、野鳥や昆虫たちの生命を育《はぐく》む天地と化していくのだ。

佐伯がそこまで話したとき、予約しておいた小さな料理屋に着いた。

八人掛けのカウンター席とテーブル席がふたつだけの店で、瘦身《そうしん》の店主がカウンター内で鶏の手羽を焼いていた。壁には、「本日、ノドグロの一夜干し有ります」と書かれた紙が貼《は》ってある。

あのリーダー格の男のお勧めは、ある日とない日があるのかと思いながら、佐伯を四人掛けのテーブル席に坐らせると、仁志はカウンターの奥の壁に掛けてある黒板を見た。

「本日のおすすめ」が書かれてあった。

まだ十代にしか見えない女がおしぼりを運んで来ると、ノドグロの一夜干しというのは出せる日と出せない日があるようだが、それはなぜかと佐伯は訊いた。

すると、いいノドグロが入ったときしか作らないが、きのう九州に水揚げされたので、さっきやっと手に入れたと店主が答えた。

「ノドグロは、たくさん獲《と》れませんからね。それもいいものとなると少ないです。きょうのはとびきり上物です」

店主の口振りで、仁志はノドグロの一夜干しは、この店で作っているのではないらしいとわかった。一夜干しを作る店から仕入れるのだ、と。

「本日のおすすめ」に「ノドグロの一夜干し定食」というのがあった。佐伯はそれを注文した。菜の花のからし和《あ》え、ノドグロの一夜干しの炭火焼き、あさりの味噌汁《みそしる》、きゅうりと大根の葉の漬け物、ご飯。それが定食だという。

「きみは体を使って汗もかいたし、若いから魚だけじゃ物足りんだろう。何でも食べたいものを頼みなさい。あの鶏の手羽、うまそうだよ。他にもいろんな魚料理があるし」

と言って、佐伯は壁に貼ってある品書きや黒板を指差した。

「じゃあ、ノドグロの一夜干し定食と鶏手羽にします」

「だし巻玉子もどうだい。湯豆腐もあるよ」

「そんなに食べられません。佐伯さんは晩酌はなさらないんですか?」

注文を訊きに来た女店員に、定食二人前に地鶏の手羽焼きとだし巻玉子も頼んでから、佐伯は、昔はよく飲むほうだったが、七十になるころから、酒をあまりうまいと感じなくなったと言った。

「たまに、寝つきの悪い夜に、日本酒を蕎麦猪口《そばちょこ》に一杯くらい飲むんだけど、たいてい半分くらいでいやになってね。酒を飲むと、かえって余計に眠れなくなることのほうが多くなったんだ。きみは飲《の》ん兵衛《べえ》かい？」

「嫌いやないですけど、たいして飲めません。自分の定量を超えたら、翌日、お腹《なか》をこわします」

店主が、まだ焼いていない大きなノドグロの一夜干しの切り身を皿に載せてやって来て、あなたは佐伯さんかと訊いた。

佐伯がそうだと答えると、

「店にお越しになったら、これをお出ししてくれて野田さんが届けてくれまして。とびきり上物の、さらにその上やそうです」

そう店主は言った。

「野田さん？　さあ、どなたかな」

「干物《ひもの》専門の店に勤めてる人です」

「その野田さんと仰言《おっしゃ》る方は、最近、お父さんになられましたか？」

佐伯の問いに、店主は、そうだと頷《うなず》き返した。

佐伯は、その野田という人に、どうかよろしくお伝え願いたいと言い、皿に載せられているものに顔を近づけながら、老眼鏡をかけた。

「この店の干物は日本一やと思います。その日によっていろんな干物を作りますけど、どれも一流の料理屋で出しても恥ずかしないもんばっかりです。もう四代つづいてる干物屋ですが、いまのご主人には跡取りがのうてねェ。そやから、野田さんを仕込んでるんです」

客が四人入って来た。地元の人たちではなさそうだった。

「野田さんてのは、北里さんの娘さんのご亭主だな。北里さんは、出産後の世話をするために久美浜に来てたんだからね」

と言い、仁志が買い物に行っているあいだに読んだという植物学者と料亭の女将との対談について語り始めた。

その植物学者は、もうそろそろ八十歳だが、大学生のときに、自分は雑草の生態分布を研究テーマにしたいと当時の恩師に言った。

恩師は、雑草の研究なんかやっても一生誰にも相手にされないかもしれないが、生涯を懸ける気ならやってみなさいと言った。

そこから、日本中の雑草生態の研究に没頭する日々が始まったが、恩師の言葉どおり、誰からも相手にされなかった。

しかし、彼の書いた論文が、偶然、ドイツの著名な植物学者の目に留まり、その人の招きでドイツに留学することになった。

ドイツでは現場で土を掘ったり、植物を調べたりする日々ばかりがつづき、せっかくドイツに来たのだから、さまざまな本も読みたいし、他の教授の講義も受けたいと、そのドイツ人の師に不満を訴えた。すると、師はこう言った。

「見よ、この大地を！　三十九億年の地球の生命の歴史と巨大な太陽のエネルギーの下での生命のドラマが目の前にある。まず現場に出て、目で見て、匂《にお》いを嗅《か》いで、舐《な》めて触って調べろ！　現代人には二つのタイプがある。見えるものしか見ないタイプと、見えないものを見ようと努力するタイプだ。きみは後者だ。現場が発しているかすかな情報から見えない全体を読み取りなさい」

佐伯はそこでひと呼吸置き、

「きみは後者だ」

と繰り返した。

仁志は、植物学者が対談で語った言葉の一部分を、佐伯がもういちど力を込めて言ったのだと思った。

だが、そうではなかった。

佐伯の言った「きみ」が、この自分を指していることに気づくと、仁志はその意味も理由も解《げ》せないまま、佐伯を見つめた。

だし巻玉子が運ばれて来ると、遠慮せず食べるようにと勧めてから、佐伯は話をつづけた。

この地味な雑草生態分布の徹底した現場主義による研究が、やがて彼に植物全体の生態分布を手の内に入れ始めさせるときが来る。

ドイツ人の師の教えを愚直に実践しつづけて、彼は雑草の世界だけではなく、あらゆる植物の世界の原理とその応用に行き着いたことになる。

佐伯は熱い茶をひとくちすすり、菜の花のおひたしを食べた。

「うん、いい味だ。やっぱりこのあたりは京風の味付けなんだな。いま入って来た客も、呉服関係らしいね。丹後縮緬に昔の勢いが失くなったといっても、丹後縮緬は丹後縮緬だ。いいものを求める人はちゃんといるんだが、それが逆に、作り手をこれまでの商売のやり方から脱却させなくて、新しい展望が開けないんだな」

カウンターの奥にある炉の炭火で丁寧に焼かれているノドグロを見やって、佐伯はそう言った。

また新たな客が二組入って来たが、そのうちのひとりは傘を持っていて、それは濡《ぬ》れていた。

「佐伯さんの予言どおり、雨になりましたねェ」

と仁志は言い、ひとりでは多すぎるだし巻玉子をたいらげた。

「この八十になる植物学者に世の脚光が集まるようになったのは、この人が七十の半ばになったころらしいよ」

と佐伯は言った。

店主が金属製の長い串《くし》に刺したノドグロの一夜干しの焼き面を返している姿を見て、いかに丹念に焼いているかが伝わってきて、仁志は、いったいどんな味なのかを早く知りたくなった。ノドグロの正式の名が赤むつであるとは知っていたが、仁志はまだいちども食べたことがなかったのだ。

女店員の視線がときおり泥のこびりついたままの自分のズボンに注がれているのに気づき、仁志はなぜ新しい背広に着替えてこなかったのかと後悔した。

自分がこんなに汚れてくたびれた背広を着ていたら、一緒に食事をしている佐伯平蔵までもが、その程度の男と思われるではないか。

細面の謹厳なたたずまいの佐伯平蔵は、年齢に比して頭髪は豊かで、もうあと二、三年で完全な銀髪となりそうで、日本人にしては高い鼻梁《びりょう》の線が、ときに冷たさを感じさせるが、笑うと目は八の字になって、途端に暖かいものが顔全体に拡《ひろ》がる。

この老人を、因業《いんごう》で冷徹な金貸しだと思い込んでいたのは間違いだ。そうでなければ、どうして北里千満子に借用証を返すために久美浜まで訪ねて行くだろう。どうしてこの俺に、身なりを整えるための二十万円もの金を与えるだろう。

仁志は、「きみは後者だ」という言葉の意味とともに、佐伯がどうして車の運転をこの俺にさせたのかと考えた。金を貸した青年が職も失って暇をもてあましていて、車を持っているからという単純な理由ではなさそうな気がしてきたのだ。

「誰も見向きもしない雑草の生態分布の研究に生涯を懸けると決めてから、この植物学者の独自の理論の正しさが認識され、大きく脚光を浴びるまで、いったい何十年かかったか……。ドイツ人の師の教えのとおりにしてきたからこそ咲いた花だな。ぼくはそう思うよ。師の言うとおりにして、歩きだした自分の道から一歩も外れなかった。ここが凄《すご》いところだよ」

佐伯は言って、腹が減って目が廻りそうなんじゃないかと訊《き》きながら笑みを浮かべた。

「さっき、佐伯さんは、ぼくに『きみは後者だ』って仰言ったように思うんですが、確かにぼくは自分に言われたと受け取っていいんでしょうか」

と仁志は訊いた。

「ぼくの前に、きみ以外誰がいるんだ」

佐伯は笑みを消して、そう言った。

その植物学者が対談で語ったドイツ人の師の言葉……。

――現代人には二つのタイプがある。見えるものしか見ないタイプと、見えないものを見ようと努力するタイプだ。きみは後者だ。現場が発しているかすかな情報から見えない全体を読み取りなさい。

仁志はそれを思い出しながら、なぜ自分もまたその後者だと佐伯は言ったのかを考えた。

地鶏の手羽が運ばれてきた。意外に大きいうえに、ふたつも皿に載っていた。

ちょっと一味唐辛子を振ってもおいしいと店主が言った。

このあとにノドグロ定食が来るんや。しかし全部食うたる。苗木六十本を大きく盛った斜面に正しい植え方で植え、その周りにぶ厚く藁《わら》を敷きつめ、杭《くい》を打ち、藁で編んだ縄を張って固定させ、水を撒《ま》き……。

その作業のために、斜面を何回のぼり降りしたことか。こんな肉体労働は材木問屋で二トントラックの運転手をしていたとき以来や。

そう思って、材木をトラックに積み降ろす際の肩に食い込む痛さを懐《なつ》かしみながら、仁志は鶏の手羽にむさぶりついた。熱い肉汁が掌《てのひら》を伝った。

「みんなが植樹をしてるときに、リーダーの人が来てね。あの一角は地元の植木屋が植えたんだって、ぼくを通用門のところにつれて行ってくれたんだ」

やっと焼きあがったノドグロの一夜干しを老眼鏡をかけて仔細《しさい》に見つめながら、そのときのことを佐伯は語りだした。

その植物学者は、通用口付近だけは植木屋に植えさせた。植え方は、植樹に参加した人々に教えた方式を守らせた。植木屋が日常の業務として行っているやり方はしてはならないと念を押した。

しかし、彼等が作業を始めると、一般の植樹者たちに、

「あの人たちが植えた木のほとんどは枯れます」

と植物学者は言った。自分たちは専門家だと頭から思い込んでいて、ずるをして手を抜くうえに、腹のなかでこの植樹法を小馬鹿《こばか》にしているからだ、という。

枯れるとわかっている多くの苗木を、なぜ植物学者はあえて植えさせたのか。

遠方から植樹祭にやって来て、きょう生まれて始めて木を植えるという人たちに、正しいやり方とそうではない植え方との結果の違いを、実際に自分の目で見させるためだ。

その明らかな結果は、わずか一年後か二年後に歴然となる、と植物学者は言明した

という。

「植木屋さんてのは、植木の専門家ですし、そうすることで飯を食ってるんですよね。そやのに、その人たちが植えた苗木だけが、なんで枯れるんですか？」

と仁志は訊き、もうひとつの鶏手羽はノドグロの一夜干しを味わってから食べようと思った。

「ぼくも、おんなじことをリーダーの人に訊いたよ。リーダーも、その苗木が枯れるかどうかはまだわからないんだ。植物学者も、ずるをして心がこもっていないとしか説明してくれない。あの森の三役五役の木に限れば、どれも直根深根で、そのためにどんな豪雨や地震に襲われてもびくともせずにその土地を守るんだそうだ。直根深根で根を張る苗木を、傾斜地に傾斜に沿って植えたらどうなるか。苗木は傾斜と同じように傾いてるのに、根はまっすぐに深く伸びていくだろう。これはぼくの推測だが、まだ赤ん坊の木の幹と根に一種の歪《ひず》みが生じるんじゃないかなァ。だが問題は、専門の植木屋が傾斜地であろうとも苗木はまっすぐ植えるというあの植物学者の指示どおりに、なぜ植えないかだ。植え終わったら、苗木の細い幹を摑《つか》んで、二、三センチ、ちょっと持ち上げろって指示を、なぜ無視するかだ」

「植木屋たちは無視して、そのとおりにしなかったんですか？」

「リーダーの人が見てたかぎりでは、そんなことはしなかったそうだよ」

ノドグロの一夜干しが少し冷めるのを待っていたらしく、皮目から浮き出てくる熱い脂《あぶら》の出がおさまると、佐伯は身と皮を箸《はし》で挟んで、それを口に入れた。

仁志は、佐伯の表情を見つめた。

「そんな、固唾《かたず》を飲むみたいにして見ないでくれよ」

そう言って、佐伯は口のなかのノドグロを味わい、それを飲み下すと、目を八の字にさせて笑った。

「うまい。これはうまい。ぼくは、こんなにうまい魚の干物を食べたことがないね。上品な濃厚さで、塩加減が絶妙だね。干物特有の臭みがなくて、生を焼いたようなんだけど、干物でなきゃあ出せないうまみとこくがある。これは絶品だ」

佐伯の言葉で、仁志は早く自分も食べたくて、カウンターのなかの店主を見た。仁志のぶんも焼きあがって、皿に盛りつけられているところだった。

「なんで、植木屋は、その植物学者のやり方どおりに植えへんのでしょう」

と仁志は話を戻した。

「専門家だからだ」

「プライドってやつですか？　学者に現場のことなんかわかるかっちゅう思いがある

からでしょうか」

「自分の知識や技量以外のことは、受け入れられないんだ。自分は専門家だっていう驕《おご》りが、そうさせるんだよ」

「ぼく、来年の五月も、再来年の五月も、あの苗木を見に来ます」

「うん、そうしたらいい。きっと、植物学者の言葉どおりになってると思うよ」

自分のぶんのノドグロ定食が運ばれて来て、仁志はそれを食べた。佐伯の評価どおりのうまさだった。ノドグロもご飯も、仁志はたちまちたいらげてしまった。

「ご飯のお代わりを頼んだらどうだい」

「いえ、鶏手羽が最後にひとつ残ってますから。これ、食べ応《ごた》えがあるんです。胃に、ずしんとおさまる感じなんです」

「野菜が、菜の花のおひたしだけでは足りないね。季節の新鮮野菜サラダってのがあるけど、あれを頼もう」

その野菜サラダを佐伯も食べるものと仁志は思っていたが、大鉢に山盛りになったそれには、佐伯は箸をつけようとはしなかった。

「サラダ、召し上がらないんですか？」

「きみのために註文《ちゅうもん》したんだ。遠慮しないで、ひとりで食べなさい」

「これを、ひとりでですか？」

俺は、象や犀《さい》とちゃうで。なんぼなんでも多すぎるがな。店のご主人も、ふたりで食べると思たんやろ。そうでなかったら、こんなにぎょうさんの野菜サラダを大鉢に盛ったりはせんやろ。

そやけど、食べ残したら、また叱《しか》られる。

仁志はそう考えて、日頃は滅多に上等なものは食べられないのだからと、和風ドレッシングのかかったサラダを頰張り、鶏手羽に食いついた。

「膝《ひざ》はいまも痛いですか？」

仁志が訊くと、佐伯は掌で膝の内側をさすりながら頷《うなず》き返した。

「若いときに柔道をやっててね。そのときに傷《いた》めた古傷で、だいたいこの時期になると痛くなるんだけど、こんなにひどいのは初めてだね。寒くなると痛むってのならわかるけど、暖かくなってきたら痛むっていうのが、どうもよくわからないよ」

「どんな怪我《けが》やったんですか？」

「技をかけようと一歩相手に踏み込んだつもりが、半歩しか踏み込めてなかったんだ。稽古《けいこ》でなら、その瞬間に技をかけるのをやめるんだけど、試合だったし、思いのほか強い相手で、どこかに焦《あせ》りがあったんだな。これは返されるって思いながら、つまり、腰がひけながらかけた技だったから、自分の力で自分の膝をひねったんだよ。ここのところの腱《けん》が伸びたらしい。切れなかったのは若かったからだって医者が言ったよ。二十歳だったからね。いまから五十五年前だ」

歳《とし》を取ると多くの人が見舞われるという関節の軟骨の磨滅によるものでないのなら、鍼灸《しんきゅう》が効くのではないかと考えた瞬間、仁志は高校時代からの友人である青木範彦の生真面目《きまじめ》そうな顔を思い浮かべた。携帯電話に三回も青木からの着信履歴があったことも思い出した。

大鉢に残った胡瓜《きゅうり》の一片を口に入れると、仁志は料理屋から出て、その玄関先で青木に電話を掛けた。

あいつの勤めている鍼灸院は夜の九時までだから、まだ仕事中だなと思ったが、あの佐伯のような老人が痛みを口にするのはよほどのことに違いないという気がした。

「どこで何をしてんねん。俺、何回も電話をかけたんやで」

電話に出るなり、青木はそう言った。携帯電話はマナー・モードにしたままで、きょうは忙しくて電話をかける余裕がなかったと仁志は謝り、佐伯の膝について説明した。

「人によるやろけど、そういう腱の古傷には灸がいちばんええんや」

と青木は言った。

「お前、仕事が終わったら、車を飛ばして丹後の宮津まで来てくれよ。二時間で着く」

仁志が本気だとすぐにわかったらしく、青木は一瞬絶句してから、

「無茶言うなよ。大阪の千里から二時間で宮津に行けるはずがないやろ。それに、きょうは患者が多かったから、俺はもうへとへとや」

と高校生のときから変わらないのんびりとした口調で言った。

「青木、あのとき、この恩は一生忘れへんて言いながら、俺の手を握ったのは、誰やねん。あれは口先だけか」

仁志の強い口調で、また少し絶句したあと、だから自分は仁志の就職口を探して、あちこちに声をかけ、きょうやっと一件みつけて、それで何回も電話をかけたのだと青木は言った。あした、履歴書を持って面接を受けに来い、採用すると決めたら半年ほど契約社員として働かせてみて、正規採用にするかどうかを決めると、社長は言ったという。

どこもかしこも、そんな条件ばかりつけやがる。最初にそういう条件をつける会社はもうこりごりだ。正規に採用する気などないのだ。契約社員ならいつでも馘《くび》にでき

るが、正社員となるとそうはいかない。

自分たちの都合で簡単に馘を切れる社員を雇っておこうという料簡《りょうけん》の会社に、さして豊かな未来があろうとは思えない。

仁志は自分のその考えは口にしないまま、せっかく世話をしてくれたのに申し訳ないが、あしたはその会社の面接には行けないと青木に言った。

「あしたでないと、この話はなかったことになるでェ」

そう青木は言って溜息《ためいき》をついた。

「お灸《きゅう》、俺でもすえられるか？　ここと、ここと、ここに、このくらいの太さのもぐさをつけて、線香で火をつけェって教えてくれたら、俺、やってみるけどなァ。とにかく、俺は、お前が鍼灸師の学校に行ってるときに、灸をすえられたり、鍼《はり》をうたれたりして、我が身を捧《ささ》げて練習台になったんや。青木、お前はその恩まで忘れたんか？　俺があのときどれだけ怖かったか、お前はわかってるのか？」

仁志の言葉に青木は笑い、今夜泊まるところにファックスはあるかと訊いた。仁志は上着の内ポケットに入れておいたホテルの案内パンフレットを出した。

灸のつぼを示す経絡《けいらく》図をファックスで送ると青木は言って、やり方を説明した。

「もぐさの太さは三、四ミリ、長さは五、六ミリ。ここに灸をせえっちゅうとこに丸印を書いとくけど、それはあくまでも基本や。痛みのある周辺を指で押して、イタキモチエエとこが、その人のつぼや。八分灸やで。覚えてるやろ？　もぐさは薬局で売ってるはずやし、線香も二、三本ついてると思うでェ」

礼を言って電話を切り、道の向こう側を見ると、五十メートルほど西側に薬局があったので、仁志は雨のなかを走った。

もぐさはあったが、それには線香はついていなかった。昔ながらの薬局の主人は、うちの仏壇用だがと三本持って来てくれた。

また走って料理屋に戻り、仁志は席に坐《すわ》ると、青木と電話で話した内容をかいつまんで説明した。

「灸のすえ方は、ぼくも二、三回練習しましたから、まかせて下さい」

「きみが灸をすえるのかい？　ぼくに？」

「はい。効くか効かないかわかりませんけど、やってみましょう。お灸は、つぼを外しても無害です。ぼくはその青木の練習台になって何回もやられてますから大丈夫です」

「大丈夫ですって……、大丈夫かい？」

「ちょっとくらいは熱いですけど」

「そりゃあ熱いだろう、火をつけるんだから」

佐伯は薬局の紙袋に入っているもぐさを出して、それを持ち、

「また、たくさん買ったねェ」

と言った。

「これより小さい袋、なかったんです」

「経絡図ってのは、どの人間にもあてはまるのかい？　人によって、つぼの位置が違うってことはないのかい？」

「鍼灸の歴史は古いですから。東洋医学数千年の知恵の結晶です」

「しかし、鍼灸師の才能や技能や経験の差というのはあるだろう」

「それは、……あるでしょうねェ」

「膝が痛いなんて言わなきゃよかったよ」

「青木は、ぼくとおんなじ三十歳ですけど、凄《すご》く腕のいい鍼灸師なんです。青木さんにやってもらいたいっていう患者は多いんです。鍼灸師の学校で勉強してるときから、図抜けてたんです」

どうにも決断がつきかねるといった表情で、佐伯は寿司《すし》屋が使うような大きな湯呑《ゆの》み茶碗《ぢゃわん》に入った茶を飲んでいたが、

「わざわざこの店から出て鍼灸師の友だちに電話で相談してみてくれて、雨のなかを薬局まで走ってくれたきみの厚意を無にするわけにはいかないなァ」

と言った。

「ホテルに帰って、お灸をしましょう」

仁志はそう促して、佐伯から預かっている金で勘定を済ませると、料理屋に隣接する駐車場へと走り、いつもトランクに入れてある安物の傘を出した。

そして、車を料理屋の前に停め、佐伯に傘をさしかけた。

「これは本降りだねェ。あしたも雨だったら、ここでもう一泊しようか」

と言いながら、佐伯は車の後部座席に坐った。脚の運びは、昼間よりも遅かった。

ホテルに戻ると、青木からのファックスが届いていて、フロント係が手渡してくれた。

仁志は、自分の部屋に入ると、もぐさを人差し指と親指で丸め、青木の指示どおりの太さにして、それを幾つもつないで紐《ひも》状にした。

タオルを水で濡《ぬ》らし、それをしぼって、ベッド脇《わき》の小さなテーブルに置き、ズボンの裾《すそ》をまくりあげ、脚の疲れを取るというつぼのあたりを指で押した。

だいたいこのへんだなと大雑把に見当をつけて、細い紐状のもぐさの先端を三ミリほどちぎり、自分の膝上のつぼに載せると、線香の火をそれに移した。

「うーん、もうちょっと、もうちょっと。よし、来た」

もぐさの火が皮膚に直接触れるか触れないかの微妙な一瞬に、仁志は薄い煙の立ち昇っているそれを人差し指と親指でつまみながら消した。

指は少し熱かったが、もぐさをつまむ前に濡れタオルで冷やしておけば、別段どうということはなさそうで、仁志は七、八回同じことを繰り返した。

「ウォーミング・アップをしとかんとなァ。最初に熱い目に遭わせたら、お灸なんて二度とこりごりやっちゅうことになって、あのじいさん、怒って俺を一本背負いか何かで放り投げよるかもわかれへん」

仁志は準備を整えてから、青木からのファックスを読んだ。脚部の経絡図には、五箇所に印が入れてあり、「八分灸のやり方を忘れてたらＴＥＬ下さい。今夜試してみて、ちょっとでも効果があるようなら、あしたからはもぐさの太さを五ミリにして下さい。健闘を祈る」

と大きな字で書かれてあった。

「五ミリの太さになったら、俺の指、火傷《やけど》するかも」

仁志は小声でつぶやきながら、佐伯の部屋のドアをノックした。佐伯平蔵は、ホテ

ル の寝巻に着換えていて、

「俎板《まないた》の鯉《こい》って心境だよ」

と言いながら微笑《ほほえ》んだ。

仁志は灸に必要なものをサイドテーブルに置き、佐伯に体の左側を下にしてベッドに横になってもらうと、痛むところを指先で押した。人体についての知識は皆無に等しかったが、そこが痛いんだと佐伯が教える箇所は、確かに骨とは異なる硬さがあった。

「イタキモチイイってとこを言って下さい。青木がファックスに印を入れてるとこは、そのあとにしましょう」

と言って、仁志は佐伯の左の膝の内側を指先でゆっくりと押していった。

いいや、そこはただ痛いだけだ。うん、そこはイタキモチイイって感じだな。いやいや、そこは痛くも気持ちよくもない。

佐伯の言葉どおりに、仁志はイタキモチイイところにボールペンで印をつけていった。合計で八箇所だった。

青木が印をつけているところも合わせると、全部で十三箇所ではないか。一箇所に五回灸をすえるとして、合計で六十五回。いま何時だ？

仁志は自分の腕時計を見た。八時半だったが、最初の灸で終わりになる公算のほうが高いのだと思い、

「じゃあ、やりますよ。体の力を抜いて、ぐたァーっと横になって下さい」

そう言って、紐状のもぐさをちぎり、ボールペンの印のところに載せ、その先端に線香の火を移した。

「熱《あつ》っ、ていう手前で、来た、とか、よし、とか言って下さい」

その仁志の言葉が終わらないうちに、佐伯は落ち着いた声で、来た、と言った。

濡れタオルの上に置いていた人差し指と親指で、仁志は赤く燃えているもぐさを素早くつまみ消し、それを灰皿に捨てた。

もっと慌《あわ》てるかと思っていたが、これなら上々の首尾ではないか。仁志は自分の手際《ぎわ》に感心しながら、

「どうですか？　気持ちいいですか？　不快ですか？　熱かったですか？」

と訊いた。

「そりゃあ、多少は熱いけどね。まあそれが灸っていうもんだろうなァ。気持ちいいか不快かは、まだわからんなァ」

そう答えて、佐伯は、部屋の窓はあかないのかと訊《き》いた。

「もぐさと線香の匂《にお》いが部屋にこもったら、ホテルの人に叱られるかもしれないよ」

窓は二十センチほどあくようになっていた。仁志は窓をあけ、もぐさをつまみ、線香を持った。そして、最初のと同じ箇所に灸をすえた。

二十回ほどすえていると、仁志は、佐伯が「来た」とか「よし」とか言わなくても、火のついたもぐさをつまみ消す頃合《ころあ》いというものがわかってきた。

印をつけた箇所の半分が終わって腕時計を見ると十時前だった。

途中から安心したのか、目を閉じてしまった佐伯の額に汗が滲《にじ》んでいるのに気づき、

「大丈夫ですか？　気分が悪かったら、もうやめましょうか？」

と仁志は訊いた。

「いや、きみが疲れてさえいなかったら、このままつづけてくれないか。なんだか気持ちがいいんだ。体がぽかぽかしてね」

佐伯の言葉に嬉《うれ》しくなり、

「痛みはどうですか？」

と訊きながら、仁志はもぐさで新しい細紐を作った。

「少しましになったような気がしないでもないなァ。重い痛みが、柔らかい痛みに変わったって感じだね。ありがたいよ」

「それは、効いてるんですよ。お灸は即効性の治療やないけど、じわじわと効いてくるんやって青木が言うてました」

「ぼくのことよりも、きみの指は大丈夫かい？」

懸命に灸をすえつづけていたので、仁志は自分の指のことなど考えなかった。指紋のところが少し赤味を帯びていたが、仁志は慣れてきた時分に、人差し指だけでなく中指も使うようにしたので、親指の赤味のほうが強いように感じた。もぐさの火をつまみ消すのに親指だけは必要だったのだ。

つぼは点ではなく面で考えるという青木の言葉を思い出し、仁志は一点にだけ何回も灸をすえないようにしてきたので、佐伯の膝《ひざ》の周辺のつぼには、わずかな赤味が生じているだけだった。

青木からのファックスに書かれた印には、膝から遠く離れた箇所のつぼもあり、「ここには必ず灸をすえること」と書いてあったので、仁志は自分がボールペンで印したところがまだ四箇所残っていたが、そこはあしたにして、青木の指示どおりの大事なつぼ三箇所に灸をすえることにした。線香が失《な》くなりかけたのだ。

「きょうは、これで終わりましょう。線香が切れました」

仁志はそう言って狭いバスルームに行き、佐伯のタオルを湯で濡らすと、それを固く絞ってベッドのところへ戻りながら、部屋にこもっている煙を見た。

「スプリンクラーが作動して、火災警報が鳴ったりして」

本気でそう案じながら、仁志は濡れタオルで佐伯の膝を拭《ふ》いた。赤い点が皮膚にちらばっていた。

「いやあ、ありがとう。さぞかし疲れただろう。指は大丈夫かい」

そう言いながら、佐伯は身を起こしてベッドに坐り、左脚をゆっくりと曲げたり伸ばしたりした。

「どうですか？」

「うん、灸《きゅう》をすえてもらう前の痛さを十としたら、いまは七くらいかなァ。これだったら、今夜は眠れるよ」

「ということは、きのうは眠られへんかったんですか？」

「うん、そうなんだ。おとといもだ」

「ぬるめの風呂《ふろ》にゆっくりとつかったら、もっとお灸の効果が出るかもしれませんよ」

仁志は、ホテルのユニットバスの窮屈なバスタブに湯を溜《た》め、バスルーム用の換気扇のスイッチを入れて、しばらく部屋のドアもあけた。

十一時を少し廻っていた。

こんなに窮屈なバスルームで、何かにつまずいて佐伯が転んだら大変だという思いが先に立って、仁志は植樹の際に自分がどれほど汗をかいたかを忘れてしまった。

ベッドを椅子《いす》代わりにして坐り、寝巻の裾をめくって灸の跡を見つめながら、

「ビールでも飲んだらどうだい。そこの冷蔵庫に缶ビールが三つ入ってたよ。冷えたビールの缶で指を冷やせるよ。ぼくはきみが買って来てくれたもみじ饅頭《まんじゅう》を食べたいな」

と佐伯は勧め、自分で小型の冷蔵庫のところへと歩いて行った。

「杖《つえ》なしで歩けますねェ」

「うん、歩けるねェ。人に灸をすえたのは初めてなんだろう？　たいした腕だよ」

「青木の練習台になったときに、ぼくもあいつに二、三回すえましたけど……。たぶん、お灸が佐伯さんの体に合うんですよ。鍼《はり》も灸も、人によって合う合わんがあるって、青木が言うてました」

佐伯が缶ビールのプルタブに指をかけようとしたので、仁志は、ビールを頂戴《ちょうだい》するのはもう少しあとにすると言い、指の腹を冷やすためにそれを受け取った。

「とにかく、お腹《なか》が割れそうっていうくらい食べましたから。あの季節野菜のサラダ

は多かったです」

「ぼくは、きっと残すだろうと思ってたけど、カイワレ一本残らず食べたねェ」

フロアのどこかの窓があけてあるのか、そこからの風がよく通って、部屋に充満していた煙のほとんどは外へ出てしまった。これはうまいと笑顔で言い、佐伯はもみじ饅頭を二個食べた。

「いますぐお風呂に入られますか?」

と仁志は訊いた。

「いや、もみじ饅頭をもう一個食べながら、ベッドの上でやれやれとしてたいね」

佐伯はベッドに両脚を投げだして坐り、仁志に笑みを向けた。

自分が戻って来るまでは風呂に入らないでくれと佐伯に言い、仁志はパソコンを持ってロビーへ降りた。

ホテルには、各部屋でパソコンに接続できる設備は整っていなくて、フロントの隅にそのためのブースが三つあるだけだったのだ。

仁志は自分のパソコンにケーブルを接続し、五代目志ん生の落語をダウンロードできるサイトにアクセスした。

一演目が六百円だった。

「三つで千八百円かァ」

いまの自分に千八百円は貴重だが、佐伯に五代目志ん生の話芸を聴かせたい。あの落語を聴いていると心が落ち着いてくる。きっと今夜、佐伯はよく眠れることだろう。

仁志は「火焔太鼓《かえんだいこ》」と「寝床」と「品川心中」の三つを選び、それをデジタル・オーディオ・プレーヤーにダウンロードして、佐伯の部屋に戻った。

そして、そのプレーヤーの操作を説明した。

「ここをこうやると、ここに入ってるもん全部が表示されます。そしたら真ん中のここを押して……。音量の加減はここでこうやって……。志ん生の『寝床』を聴きながら、ぬるめのお風呂にゆっくりと、なんてね」

「至れり尽くせりのご厚情、この佐伯平蔵、誠に忝《かたじけな》く存じ候《そうろう》、だねェ」

両の耳にイヤホーンを差し込み、佐伯はプレーヤーを持ってバスルームへ行った。

椅子をバスタブの横に運び、ここにプレーヤーを置いておけばいいと言ってから、仁志はバスルームから出た。

青木はこの俺のために就職先を探してくれたというのに、無下な断り方をしてしまったものだ……。

そう思いながら、二十センチほどあけている窓のところに立ち、仁志は三時間前よりも小降りになった雨を見つめた。

いま十一時半。佐伯を車に乗せて下京区を出発してから、まだ十三時間半しかたっていない。まだ日は変わっていない。

それなのに、数カ月分に匹敵する多くの事柄と接したような気がする。

いや、気がするのではなく、確かに自分は、何か生半可ではない事柄にたくさん触れたのだ。

仁志はふいに深い感慨に襲われる心持ちにひたって、ベッドの端に腰を降ろしたが、すぐに、きょう使った金の明細を書いておくために、サイドテーブルの上のメモ用紙とボールペンを持った。有料道路代金、コーヒー代、まずくて高い蕎麦《そば》代。宮津の料理屋の代金。それらの合計金額をメモ用紙に書き、領収書をその上に置いた。

あの志ん生の「寝床」は三十分ほどだったな、もう終わったころだろう。仁志がそう考えていると、バスルームからシャワーの音が聞こえてきた。

やがて、半乾きの頭髪にきれいな櫛目《くしめ》を入れてバスルームから出て来ると、佐伯は、気持ちのいい汗がたくさん出たと言いながらベッドに坐《すわ》り、ミネラル・ウォーターを飲んだ。

「志ん生の『寝床』はどうでした？」

仁志の問いに、

「これはもう名人芸という域も超えてるよ。こんなの誰も真似《まね》できないね。旦那《だんな》の浄瑠璃《じょうるり》を無理矢理聴かされて七転八倒した番頭が、そのあくる日に書き置きを残して行方不明になり、いまはドイツにいる、なんて落ちは、どうやったら出て来るのか……。たったの三十分ほどのあいだに、ぼくは何回声をあげて笑ったか……。いやァ。おもしろかったよ。五代目志ん生を、破天荒な天真爛漫《らんまん》な芸と評するのは間違いだな」

そう言って、佐伯はプレーヤーを仁志に返した。

「天真爛漫じゃないですよね。そう聞こえるだけで、ほんとは稽古《けいこ》の積み重ねで練りあげられた緻密《ちみつ》な芸ですよね」

「うん、まさにそうだよ。稽古稽古に明け暮れた人だったんじゃないのかなァ。五代目志ん生が噺家《はなしか》として花開いたのは幾つくらいのときからなんだい？」

「六十歳になるころからやそうです。終戦後、二年たって命からがら満州から日本へ帰り着いたのが五十七歳のときで、それから一気に芸にも人気にも勢いがついていったって、何かで読みました」

「終戦の二年後っていうと昭和二十二年だなァ。ぼくは十四だったよ」

そう言って、佐伯は、まだ滲《にじ》み出て来る汗をタオルで拭いた。

自分はそろそろ失礼して風呂に入ると仁志は言い、パソコンを持ち、部屋から出て行きかけた。すると、佐伯は、

「あした、いったん家に帰るよ」

と言った。風呂につかっていると、急にある人に逢《あ》いたくなったという。この旅のつづきは、来週の木曜日からにしたい、と。

仁志は、職探しで動けるようになるのが先に延びるなと困ってしまったが、そんな思いが顔に出ないようにしながら、

「それまでに車が要ることがありましたら、いつでもそう仰言《おっしゃ》って下さい」

と言って、自分の部屋へ戻った。

第二章

　もうひと眠りしようと寝返りをうって、仁志《ひとし》は、夜中から降り出した雨が樋《とい》を伝って落ちる音を聞いていると、祠《ほこら》の近くで誰かが口論している声が混じっていた。

　また家主の女房が漆器屋の大場《おおば》達矢《たつや》に文句を言っているのであろうと思い、仁志は薄い掛け蒲団《ぶとん》で耳をふさぐようにして目を閉じた。

　携帯メールの着信音が鳴った。

　いま何時やと思とんねん。朝の六時前やぞ。こんな時間に俺にメールしてくるやつなんて……。

　朦朧《もうろう》とした頭でそう考えて、あっ、ひとりいてるがな、と仁志は枕元《まくらもと》の携帯電話を見て、六時前ではなく十一時半であることに気づいた。さっき目を覚ましたとき、携帯電話と並べて置いてある腕時計を上下さかさまに見てしまったのだ。

「あかん、俺の精神的疲れは取れてない」

そうつぶやきながら、仁志は紗由里《さゆり》からの携帯メールを読んだ。

わたしはあなたのパンの耳
あなたはわたしのアホウドリ
千年の都の掃き溜《だ》めの
小路の奥のサレコウベ
信号待ちでボッキせよ

「なんや、これ……」

仁志は携帯電話を自分の股間《こかん》のあたりに放り投げてから、あっ、パンの耳やと言って起きあがった。

おととい、佐伯を車に乗せて宮津から帰って来た日の夜、パン屋でアルバイトをしている竹内紗由里に、パンの耳が溜まったら人助けだと思ってビニール袋にふたつほど恵んでくれと頼んだのだ。

半分冗談ではあったが、得意のビーフ・ポトフを大量に作っておけば、それとパンの耳で二週間は食費に金を使わなくてすむという考えもあった。

紗由里の勤めているパン屋は、ここから歩いて十分ほどの交差点の角にあって、店ではサンドイッチも作って売っている。

それは安くておいしいので、昼時には行列ができるほどで、パンの耳は毎日大量に生まれるが、それを専門に仕入れる業者に売られてしまうのだ。

「ここは千年の都の掃き溜めで、俺はその奥に住むサレコウベか？　信号待ちで勃起《ぼっき》せよっちゅうのは、どういうこっちゃねん？」

仁志は薄手のトレーナーとジーンズに着替え、蒲団を押し入れにしまうと、歯を磨き、髭《ひげ》を剃《そ》り、顔を洗って髪を整えた。そして、とにかくパン屋の前の交差点のところへ行こうと靴を履きかけて、紗由里はいまがいちばん忙しいのではないかと思った。サンドイッチを買う客たちが列を作っている時間なのだ。

仁志は、紗由里の仕事が一段落する一時半くらいまで待つことにして、傘をさして外へ出ると、佐伯平蔵《さえきへいぞう》の住まいの前へ行き、なかの気配を窺《うかが》った。雨の音に遮られて、佐伯がいるのかいないのかわからなかった。

それで、近くの仏具店へと向かった。しばらくは一日置きに灸《きゅう》をつづけてみろと青木に言われたので、線香を買わなければならなかったのだ。

佐伯は、きのう夕刻から、京都観光に訪れた旧知のドイツ人夫妻と逢《あ》って、どこかで食事をともにしたはずだった。

そのドイツ人の老夫婦が、ぜひ逢いたいと佐伯に電話をかけてきたのは十日前で、そのときすでに佐伯の左膝《ひざ》の痛みは増していて、六畳の座敷からトイレに行くのも難儀な状態だったのだ。

これでは、ともに八十歳の老夫婦の京都観光につきあうことはできないどころか、厄介な足手まといとなって、せっかくふたりが楽しみにしていた旅に余計な疲れをもたらすことになると考え、佐伯は逢うのをやめて、人捜しの旅に出たのだ。

ここにいれば、やはりドイツ人夫婦に逢いたくなってしまうと考えたからだという。

そのことを、仁志は宮津から帰って来る車のなかで佐伯から聞いた。

だが仁志は、佐伯がそのドイツ人夫婦と逢うのを避けた理由は、膝の痛みだけではないような気がした。

車のなかで、仁志は佐伯が三十五歳のときから四年間、ドイツで暮らしていたことを知った。ある特殊なパテントを持つ精密機械の技術者として、フランクフルト郊外のドイツ法人の工場の責任者を務めていた。

その会社で日本人は社長と佐伯のふたりだけで、従業員はすべてドイツ人だった。

佐伯よりも三つ歳下《としした》の社長に請《こ》われて、技術部門の責任者として渡独し、ドイツだけでなく、フランスやイギリスや北欧各国などでもパテントを取得するために奔走したが、日本で学んだドイツ語も英語も現地ではまったく役に立たず、こんなことではただの足手まといでしかないのだから、いっそ日本に逃げ帰ろうと思ったことは数限りない。

しかし、いち日の仕事が終わったあとに、ドイツ語と英語の個人レッスンを受けつづけ、夜中にはドイツのラジオ局の番組にひたすら耳を傾け、新聞の文章を声に出して読むうちに、少しずつ語学力が進歩していくのを感じた。

渡独して四年後に、ドイツの会社も工場も軌道に乗っていき、これならやっていけると確信ができたとき、社長はやっと日本にも会社を立ち上げることに決めた。

その日本法人の会社の初代社長に、四年間、異国で苦楽をともにした佐伯が抜擢《ばってき》されたのだ。

日本の、主に京都観光を目的として来日したドイツ人は、ドイツで興《おこ》した会社の最初の顧問弁護士で、いまは引退してニュールンベルク郊外で余生を送っている。

佐伯が帰りの車中で語ったのはそれだけではなかった。

社長は、自社の製品サンプルを中古のフォルクスワーゲンに積んで、得意先開拓のために全ヨーロッパを廻ったが、それには必ず佐伯も一緒だった。

無論、その自動車旅行は仕事が第一目的ではあったが、オペラ好きの社長はオペラ観劇のための時間だけは作って、それにも佐伯はつきあわされた。

当時は経済的に余裕がなく、歌劇場のボックス席のチケットなど買えず、舞台から最も遠く離れた、いわゆる「天井桟敷《さじき》」と呼ばれるところでしか観劇できなかったが、それがかえって佐伯にオペラの素晴らしさを教えた。

舞台全体を俯瞰《ふかん》せざるを得ない安い席からの目は、部分だけを見るわけにはいかなかったからだ。

「金がなくてね、社長とふたりで、あの窮屈なフォルクスワーゲンのなかで、体を折り畳むようにして寝たことが何度もあるよ。ブダペストのオペラハウスの近くで寝てて、警察につれて行かれたこともある」

当時、ドイツは東西に分かれていたが、ヨーロッパもそうだった。オーストリアから東の国々の多くは社会主義国で、国境の検問も厳しかった。

政治的にも不自由な時代だったし、自分たちも貧乏で、会社はあすどうなるか知れないといった日々だったが、社長とふたりで、仕事が七、オペラや演奏会を観《み》ることが三というオンボロ車での旅は楽しかった。自分にとっては、一生の思い出だ……。

仁志は、その話を聞きながら、京都の下京区の「人間止め」の向こうの、小路の奥に住んで三十五年なのだから、佐伯はその会社の日本法人の社長となってからたったの一年ほどで職を辞したことになるではないかと考えた。

その一年のあいだに、佐伯に何があったのか。ヨーロッパ各国でパテントを持つ特殊な精密機械を製造販売する会社の、日本における社長をなぜ辞めたのか。

それともうひとつ、佐伯平蔵の口から家族のことがひとことも出てこないのはなぜなのか。佐伯は結婚しなかったのだろうか……。

仁志はそれを佐伯に訊《き》いてみたい衝動を抑えるのに苦労しながら、下京区の小路へと帰って来たのだ。

美奈代《みなよ》が残していった女物の傘は、持ち手のところには紐《ひも》状に編んだ革が巻きつけてあって、本体の布は藍色《あいいろ》の無地なので、男物に見える。

その傘をさして、大通りを南へと歩き、東への一方通行の道へと曲がると、仁志は仏具店に入って線香を買った。

もぐさに火をつけるためのものなので安物でいいのだと思い、

「いちばん安いのを下さい」

と言うと、仏壇を買うために訪れたらしいふたりの初老の婦人が顔を見合わせて笑った。

ちょっと声が大きかったかなと思いながら、線香の入っている箱を持ち、仁志は再び大通りへ出て、さらに南へと歩いた。

二日分の日当は、きみの銀行口座に振り込んでおくと佐伯が言ったので、仁志はATM機を置いてあるコンビニに行った。

三万円が入金されていた。仁志は、預金通帳に打ち込まれた数字と、入金された日付、それにサエキヘイゾウという文字に見入った。こんなに払ってくれるのか？

一日一万五千円として、借金の返済分は差し引いてあるはずだから、佐伯平蔵は日当を二万五千円も払ってくれたことになる。

返済分が一万円というのは自分が勝手にそう推測しているだけで、実際はどうなのか確認していないが、差し引いておくと佐伯は約束したのだから、きのうの朝に振込まれたこの三万円のなかには、それは含まれていないのだ。

佐伯が、この坪木仁志という若造に使った金は、これだけではない。背広とネクタイとワイシャツ。それに靴まで買ってくれたのだ。いくらなんでも気前が良すぎる……。

仁志はそう考えて、雨のなかで立ち止まり、濡《ぬ》れないように注意しながら、預金通帳に見入った。

またどんな叱《しか》られ方をするかわからないが、どうしてこんなに日当を払ってくれるのかということだけは佐伯に訊かなければならないと仁志は決めた。

佐伯の七十五歳という年齢を考えると、人捜しの旅といい、いちどは断ったのに、ふいに思い直してドイツ人夫婦と逢ったことといい、この自分への少し多すぎる報酬といい、そこには、何かの準備を急いでいると考えることもできるのではないのか。

三十歳の自分にとっては、七十五歳という年齢はかなりの高齢であるだけでなく、生きられる日々は残り少ないとしか思えない。

しかし、それは自分が三十歳だからであって、さして重い病気にかかっていない七十五歳の老人が、己の残りの人生についてどのような時間的概念を持っているのか推測の仕様がない。

仁志は心のなかでそんな文章を組み立てたが、それは「死の用意を始めた」という直截《ちょくせつ》な表現を避けたいためだと自分でもわかっていた。

歩調を速めて歩きだし、仁志は自分のなかの遠廻しな思考を捨てて、「佐伯は人生の整理を始めたのではないか」と考えた。

金貸しにとっては、貸した金を可能な限り回収しておくことも「人生の整理」における重要事であろう。

まあ、他人のことをあれこれ詮索《せんさく》しても仕方がない。二日後には、また旅に出るのだ。これだけの日当が貰《もら》えるなら、その旅は長ければ長いほどありがたいではないか。

仁志は小路の入口の「人間止め」を軽く蹴《け》りつけて、石畳の細道を歩き、どうやらもう人に貸す気はないらしい五軒の空き家を過ぎて右に曲がった。

その五軒はどれも雨漏りがするだけでなく、風呂《ふろ》がないので、借り手もない。裏側の法衣店はその土地を売ってくれと何年も前から申し出ているらしいが、それは築七十年という法衣店の二階屋を新しく建て替えて、五階建てのビルにしたいからだ。

そんなところにビルを建てられたら、その北側の小路の日照時間は極端に短くなる。東側の漬物店の工場の丈高い建物のお陰で、朝日はよほど高く昇らないと長屋に光を届けないのだから、自分たちの目の黒いうちは断じて売る気はない。

家主はそう言ってはいるが、本心は売りたいのだ。だが、その五軒だけを売れば、残りの七軒は、大きな建物に四方を取り囲まれた、まさに陰気に湿った掃き溜めとなってしまって、将来、取り壊したところで何の役にもたたない空き地のまま放置されつづけることは目に見えているのだ。

仁志は、家主の桜井《さくらい》夫婦が家から出て来たので、気がつかないふりをして通り過ぎかけたが、

「よう降りまんなァ」

と女房に声をかけられて、立ち止まった。

「坪木《つぼき》さんとこにも聞こえますやろ？　ノコギリとノコギリがこすり合うてるような音……。私ら夫婦、毎晩、あれを壁越しに聞いてますねん。いっぺん、うちでお泊まりやす。頭がおかしいになりますえ」

「はあ、たまに聞こえますけど、最近はだいぶ上手になりはったみたいで」

と仁志は言った。

「あれで上手ですのん？　そんなアホな。坪木さんの奥さんが出て行きはったんは、この大場さんの下手くそなヴァイオリンのせいもおますえ」

「ああ、彼女はぼくの妻ではないんです。商売を一緒にしてただけです。それと、大場さんが弾いてはるのはチェロです」

「チェロでも何でもよろしおす。坪木さんから、夜中にチェロの練習をするのは近所迷惑やて言うてほしいんです」

「まだ習い始めて二、三年らしいですからねェ。もうちょっと上手になったら、子守唄《うた》代わりに」

仁志は、漆器屋の大場達矢から、どうも家主夫婦は家賃を上げようと目論《もくろ》んでいるようだと聞いていたので、ことさら大場の弾く下手なチェロの音に文句をつけているのだと思った。家賃を上げられたら、この小路の奥の軒つづきの家々の住人で最も困るのは、ほかならぬ俺なのだ、と。

「あれが子守唄？　坪木さん、ほんまにいっぺんうちの家であのチェロの音を聴いてみなはれ。子守唄なんて言葉は二度と出てきまへんで。死にかけて意識のない年寄りでも、目ェ醒《さ》まして、のたうち廻りまっせ」

多くの借家を持つ桜井家の婿《むこ》養子となって、それ以後ほとんど定職につかず、「髪結いの亭主」状態で気楽に生きてきた桜井淳夫《あつお》は、禁煙パイプをくわえたままそう言った。

「大場さんが突然チェロなんて習うようになって、夜な夜なあの楽器を抱きだしたのが、奥さんが死んでからやっちゅうのも、いやらしおすやろ？　チェロなんて、どう見ても女体どすえ、女体」

家主の女房はそう言いながら自分の家に入って行ったが、亭主はまだ何か話したそうにして、軒先から落ちる雨の雫《しずく》を度の強い眼鏡越しに見つめているので、仁志はその場を離れた。

すると、三味線のお師匠さんが玄関をあけて、また風呂場の水道の蛇口がゆるんでしまったので直してくれないかと言った。

上七軒の芸妓《げいこ》だった辻井《つじい》とよ子は、器量も、座敷での客扱いも、さして秀《ひい》ではいなかったが、芸事、とりわけ三味線の腕は群を抜いていて、三十八歳のときに芸妓を辞めると、三味線の師匠としての看板をあげたのだ。

とよ子にも、いわゆる「旦那《だんな》」と称される男がいたが、五年前に死んだらしい。

「あの蛇口、取り替えたほうがええですけどねェ。ネジの溝がバカになってしもてるから、何回しめ直しても、すぐに弛《ゆる》みますよ」

そう言いながら、仁志は辻井とよ子の家の座敷にあがった。これまでに三度、仁志は、とよ乃姐《ねえ》さんの風呂場の水道を直してやったことがあって、そのサイズに合った小さなレンチを工具屋でみつけてきたのだ。

小路の住人がみな「とよ乃姐さん」と呼ぶので、仁志もまた七十二歳の滅多に洋服を着ない元芸妓をそう呼んでいる。

蛇口の弛みはすぐに直った。

とよ乃姐さんは何度も礼を言い、お昼ご飯はもう食べたのかと仁志に訊いた。

「お昼どころか、朝も食べてへんのです」

仁志は言って、自分の家に戻りかけると、「よし満」の巻寿司《まきずし》があるが、食べていかないかと、とよ乃姐さんは言った。

押し寿司と巻寿司で知られる店のもので、本店は京阪《けいはん》四条駅の近くだが、最近、京都駅にも支店を出したので、どんな店かとさっき見に行ったついでに買って来たという。

「うわあ、ご馳走《ちそう》ですねェ。ありがたく頂戴《ちょうだい》します」

仁志は言って、奥の四畳半に置いてある年代物の長火鉢の前に坐《すわ》った。

それは江戸時代の名工が造ったもので、ひとり暮らしの老婦人にとっては、食卓であり、読書用の机であり、座椅子《ざいす》に凭《もた》れてのうたたねに欠かせない相棒なのだ。

玄関の土間からあがったところの六畳は、三味線を習いに来る人たちの稽古場《けいこば》で、そこには、上七軒の芸妓だったころの思い出の品々が飾られている。

「とよ乃」と大きく書かれた頑丈な竹製の団扇《うちわ》が五つ。北野天満宮の神札が額のところに貼《は》られている大きな招き猫。初めて自分用に買った三味線と撥《ばち》……。

異様に目の大きい招き猫は、丈が五十センチ近くあって、いつも古い和箪笥《わだんす》の上に置かれてあるが、あちこちに歪《ゆが》みが生じている木造の家では、その置かれ方がどうにも不安定で、震度一程度の地震でも落下しかねない。

「あれ、置き場所を変えたほうがええと思うんですけど」

仁志は、とよ乃姐さんが皿に入れて長火鉢の上に置いてくれた巻寿司のあまりの太さに驚きながら言った。

「他に置くとこおへんやろ。あそこから降ろして、畳の上に置くのはいややし」

「この巻寿司、直径十センチはありますねェ」

「これは、こういうふうに見ますねん」

そう言って、とよ乃姐さんは皿を動かしてくれた。海苔《のり》、玉子焼き、かんぴょう、春菊、しいたけ、三色のデンブ。それらが組み合わさって、巻寿司の具は、一輪の菖《しょう》蒲《ぶ》の花を形成していた。

「見事なもんですねェ。食べるのが勿体《もったい》ないですけど、ぼく、お腹《なか》が減ってるので」

一本の太い海苔巻きのなかに、小さな幾つかの別の海苔巻きが入っていて、いわば金太郎飴《あめ》と同じ構造だが、ご飯が主となったものなので、手に持つと具がこぼれ落ちて、せっかくの菖蒲の花は形を崩してしまった。

「ナイフとフォーク、ありませんか」

仁志は苦笑混じりに言った。

とよ乃姐さんは、薄く切りすぎてしまったから食べにくいのだとつぶやきながら、ナイフとフォークを持って来てくれた。

お弟子さんたちにもふるまいたくて、たくさん買ったので、遠慮するなと勧められ、仁志は、とよ乃姐さんが厚さ三センチほどに切り直した巻寿司を五つ食べた。

「もう入りません。ご飯茶碗《ぢゃわん》で三膳《ぜん》分はありましたよ」

そう言って、仁志は熱い緑茶をすすったが、ひょっとしたら紗由里が信号のところで待っているのではないかと心配になってきて腕時計に目をやった。一時半だった。人と待ち合わせをしていたことを忘れていたと、とよ乃姐さんに言い、仁志は自分の家に戻らないまま、雨のなかを走った。

「アホウドリっちゅうのは、日本では絶滅に瀕《ひん》してる天然記念物やろ？　ちゅうことは、俺という人間は絶滅寸前の生き物か？」

紗由里からの携帯メールの、おかしな文章を思い浮かべ、心のなかでそうつぶやきながら、仁志は「人間止め」のところを東へと向かい、通りの交差点に出て、信号機の下で「ムラタのパン」と大きな木に彫られた看板のほうを見た。

クラクションが鳴ったので、そっちのほうに視線を向けると、パン屋の軽自動車の運転席で竹内紗由里が手を振っていた。

軽自動車へと走り、傘をたたみながら助手席に坐って、

「どうやって勃起《ぼっき》しようかと思てたのに」

と仁志は言った。

「ボッキ?」

と紗由里が怪訝《けげん》そうに訊《き》き返したので、仁志は携帯メールを見せた。

きゃっと声をあげ、

「私、漢字で決起せよって打ったつもりやったのに」

と言った。

「なんか変なことを考えながらメールを打ってたのかも」

そう笑って言って、仁志は濡れた肩のあたりをハンカチで拭《ふ》いた。

京都市内の私立女子高を卒業してからずっと「ムラタのパン」で働きつづけて、ことしで四年になる紗由里は、ふたつの大きなビニール袋に詰め込んだパンの耳を仁志の膝《ひざ》の上に乱暴に載せて、

「配達、手伝うてな。四軒だけやねん」

と言いながら、軽自動車を南へと走らせ、二、三百メートル行ったところで停めた。

紗由里は車の運転が苦手なのだ。

「なんぼ苦手でも、しょっちゅう運転してたら慣れてくるし、上手になっていくで」

と言いながらも、仁志は車から降りて、運転を代わってやった。紗由里の運転する

車の助手席に乗っているのは怖かったのだ。

後部座席には四角いポリ容器が四つ積んであって、ほとんどはトーストパンだが、さまざまな菓子パンだけが入っているものもあった。

「東山区の、清水寺《きよみずでら》の近くの家に届けるぶんが急いでるねん」

と言い、紗由里はメモ用紙に手書きされた地図を仁志に見せた。五条坂の途中から一方通行の道を南に行くらしい。

そこにまず先に届けたら、引き返して中京区《なかぎょう》の喫茶店に。その次は出町柳《でまちやなぎ》のレストランに。そして最後は北白川にある病院に。

そう早口で指示して、紗由里は店内ではいつもかぶっていなければならない白い帽子を取った。

「なんや、その顎《あご》でこき使うような言い方は。パンの耳だけで、俺はそんなに働かされるんか？」

仁志は、東山区のほうへと軽自動車を走らせながら言った。

「これだけのパンの耳があったら、五日くらいはなんとか生きられるやろ？　それをオーナーに内緒で持って来てくれた人に、そんなえらそうな言い方をしてもええのん？　内緒で持って来たということは、早《は》よ言うたら、盗んだということやねんで。

人に泥棒をさせといて、その文句の言い方は何やのん？」

紗由里はわざと小生意気な口調で言って、カー・ラジオのスイッチを入れた。

家賃が払えなくなったらたちどころにホームレスとなるいまの自分にとっては、紗由里が調達してくれたパンの耳はありがたいのだと考えて、仁志はワイパーの動きを速くさせた。雨が強くなったのだ。

「就職先、みつかった？」

と紗由里は訊いた。

「みつかれへん。というよりも、いま臨時の仕事をしてるから、それが済んでから探すつもりやねん。そんな悠長なことを言うてる場合やないんやけどな」

「臨時の仕事？　仁志は能天気やなァ。月末に家賃と駐車場代が引き落とされたら、ほとんど一文無しになるねんで？」

こいつは俺の恋人でもないのに、どうしてこんなに俺の台所事情を熟知しているのだ、と思いながら、さっきの地図を見た。五条坂へとつながる道をのぼって行くよりも、そこからふたつ向こうの道へと曲がるほうがいいような気がした。

「このおうちは奥さんがイギリス人やねん。きょう、夕方からぎょうさんお友だちを招いてサンドイッチパーティーをやるそうやねん。そやから、私のお姉ちゃんも手伝いに行ってるんえ」

「お姉ちゃん？　紗由里にお姉ちゃんがおったんか？　何を手伝いに行っててんねん」

「通訳。そのイギリス人の奥さん、日本で暮らすようになってまだ一年とちょっとで、日本語はほとんどわかれへんし、パーティーに招《よ》ばれてる人は大半が日本人で、英語が喋《しゃべ》られへん」

「お姉さんは通訳の仕事をしてはるのん？」

　頼まれると、たまにアルバイトで通訳を務めることもあるが、本業は翻訳だと紗由里は言った。医学、薬学、栄養学に関しての専門書を訳したり、逆にそのような研究書やレポートを英語化しているという。

「いまはネットで世界中の大学とか専門機関の研究成果が次から次へと発表されるから、日本のその分野の人は後れをとられへんねん。しょっちゅうチェックしとかなあかんけど、自分でいちいち翻訳してたら、こんどは自分の仕事が進めへん。そやから、お姉ちゃんみたいな人に依頼してくるねん」

　道を右に曲がり、清水寺のほうへと坂をのぼり始めると、いましがたの大きな通りの車の混雑とはまったく異なる静けさのなかに入り、閑静な住宅の並ぶ場所へと近づいた。

清水寺観光に訪れて、車や観光バスの往来の多い五条坂を避け、住宅地の道をあちこち曲がりながら下って来る人がときおりいるだけだった。

「たぶん、あの数寄屋《すきや》造りの家や」

と紗由里は、斜め右のほうに見える立派な瓦《かわら》屋根の家を指差した。

「豪邸やなァ。どんな仕事をしてる人やねん？」

「伏見《ふしみ》で病院を経営してるおうちの三代目」

あの家の前に行くには、次の次の道を右に曲がればいいのだなと見当をつけて、仁志は小さな四つ辻《つじ》で一旦《いったん》停止した。

片方の手で傘をさし、もう片方の手で大きなビニール包みを大事そうに持った男が、住宅地の細い道から出て来て、仁志の乗っているパン屋の軽自動車の横を通り過ぎかけた。

仁志が、どこかで見た顔だとその男を見るのと、男が、あれっ？　という表情で振り返るのとは同時だった。

男は雨のなかで歩を止めて仁志を見つめた。仁志も窓を少しあけて、男を見た。久《く》美浜《みはま》で一緒に植樹をした北里虎雄《きたざととらお》だった。

「あっ、坪木さんですよね」

と北里虎雄は言い、自分の顔がよく見えるように頭上の傘を道に降ろした。その髪や顔にたちまち雨滴が伝った。

「お店、このへんですか？」

と訊きながら、仁志は窓から顔を突き出した。

「そこです」

北里虎雄は、いま自分が出て来た細道のほうを指差し、軽自動車のドアのところに書かれてある「ムラタのパン」という字を見た。

「いま、この人の仕事を手伝うて、あのごっつい家にパンを配達に来たんです」

と仁志は言い、紗由里に虎雄を紹介した。

北里虎雄は、体を折り曲げて、助手席の紗由里を見つめ、こんにちはと挨拶《あいさつ》した。

紗由里も大きなよく通る声でそれに応じ返した。

いつも店で使っている車のバッテリーがあがってしまってエンジンがかからない。仕方がないので、これからバスで客のところへ行くのだ。大切な焼物を届けるのに、車が動かなくて、あげく、先生には朝から叱《しか》られどおしで、きょうはまったく涙雨だと北里虎雄は笑顔で言った。

「その焼物、どこまで届けに行くんです？　雨で濡《ぬ》れて落としたら大変でしょう」

「北白川です。落として、もし傷でもいったら、大変どころか、ぼくが切腹してもどうにもなりません。粉引《こびき》茶碗の名品ですから」

北白川なら、あの家に配達したあとに行くところではないかと仁志が思うと同時に、自分たちもこれからそっちのほうへ行くので、この車に乗ってはどうかと紗由里は言った。

「ほんとに乗せてもろてええんですか？　助かります。ありがとうございます」

そう言って、傘を畳もうとして、北里虎雄は危うくビニール包みを落としかけた。

うわっ、と大声で叫び、仁志は車から降りて北里虎雄の傘を持つと、後部座席に積んであるものを押して、坐れる場所を作ってやった。

この道からだと、あの豪邸の玄関に行くためには自分の店の前を通るほうがいいと北里虎雄は言った。

「あの家の前の道は、北行きの一方通行です。この通りからは曲がれませんねん」

指示どおりに細い四つ辻を南に曲がると、道は少し下っていて、門構えなどは地味だが、なかはそれぞれ凝っていそうな家々がつづいていた。

その中程の右側に「新田《にった》」と白抜きされた芥子《からし》色《いろ》の暖簾《のれん》が掛かっている家があった。

ここが、自分の勤めている店だと北里虎雄は言った。

「暖簾がなかったら、誰もお店やとは思いませんね。新田て書いてあるけど、何のお店かもわからへんし……。美術骨董《こっとう》のお店やてわかっても、なんか恐れ多くて入られへんて感じ」

と紗由里は言った。

「美術骨董の店やと、ようわかったなァ」

仁志の言葉に、粉引茶碗という言葉が、さっきこの人の口から出たではないかと紗由里は言った。

粉引茶碗といわれても、それがどんな茶碗なのかわからなかったので、

「それだけで、北里さんが美術骨董屋さんやてわかるのはたいしたもんや。いまどきの二十三歳の女とは思えんがな」

と仁志は言い、料亭ではないのかと思えるような贅《ぜい》を凝らした数寄屋造りの家の門のところで車を停めた。

こういう造りの家には、ご用聞き用の勝手口があるはずだと思ったが、それがどこなのかわからなかったのだ。

仁志は、車から降り、トーストパンがたくさん入っている大きな長方形のポリ容器を持って、

「門にまで立派な瓦屋根が付いてるがな」

と言った。

紗由里がチャイムを押し、それに応じる声が監視カメラ付きのインターホンから聞こえるまでのあいだに、仁志は、この大きな門の下を借りるだけでも、「人間止め」の奥の長屋の三倍ほどの家賃を取られそうだと考えていた。

下手をしたら、来月の末には家賃が払えなくてホームレスになりかねない俺と、この豪邸の主と、なんという差であろう。

「なんでげすね、このありさまは。あちきはいやだよ。革命を起こしてもらいたいでげすね」

仁志は、志ん生の「五人廻し」のなかのセリフを少しもじって、そう小声で言った。

紗由里は下を向いて、顔を隠すようにして笑った。

格子戸《こうしど》があいて、玄関から門までの、玉砂利の上に敷かれた飛び石を、傘をささずに歩いて来る足音が聞こえ、エプロンをしたままの二十七、八歳の女の笑顔が見えた。

「私のお姉ちゃん」

と紗由里は言い、姉に仁志を紹介した。

「いっつも妹がお世話になってるようで、ありがとうございます」

紗由里の姉は言い、白い布で覆《おお》われたポリ容器を受け取ると、エプロンのポケットから封筒に入れてある代金を出した。

「私が仁志のお世話をしてるねん。私からのパンの耳の配給がなかったら、仁志は飢え死にやねんで」

「生意気なこと言うて……。坪木さんがたまに車の運転をしてくれるから、紗由里は助かってるんやろ？」

と微笑《ほほえ》みながら言い返し、傘をさして玄関まで送ってくれと姉は妹を促した。

紗由里のさしかける傘に入って、飛び石の上を玄関のほうへと歩いて行く姉のうしろ姿を見ながら、仁志は軽自動車の運転席に戻った。

「紗由里さんは、坪木さんの……、彼女ですか？」

と虎雄は訊《き》いた。

「彼女？　紗由里が？　いえ、ただの友だちです。ぼくは紗由里のアホウドリ」

「ぼく、あんなに可愛《かわい》い人、初めて見ました」

と虎雄は言った。

「雪の富士に朝日が差してるって感じやったなァ。この雨のなかでも、なんか光輝いてたなァ」

仁志は、うしろに北里虎雄がいることも忘れて、そうつぶやいた。

「そうですよねェ。雪の富士というよりも、もっと可愛らしい山ですね。ぼくの印象としては」

「どっちのことを言うてるんですか？」

体を捻《ひね》って北里虎雄を見ながら、仁志は自分の首のあたりが火照《ほて》っているのを感じた。ひとりの女を見て、そんな状態になったことはなかったので、仁志は、うしろに北里虎雄がいることがわずらわしかった。

「どっちて、……紗由里さんです」

「雪の富士に朝日、が？　紗由里？　いや、ぼくがそう表現したのは、紗由里のお姉さんです」

「あ、そうですか。ぼく、紗由里さんしか見てへんかったから」

そう言って、しばらく門の向こうを見やったあと、

「雪の富士に朝日が差したみたいって、えらい古風な表現ですねェ」

と虎雄は仁志のほうに身を乗り出してきて笑みを向けた。

もういちど、紗由里の姉が門のところまで来はしまいかと待っているうちに、雨は小降りになった。

十分ほど待っているあいだ、仁志も北里虎雄もひとことも喋《しゃべ》らなかった。

「なんか、ぼくも北里さんも、『暫時《ざんじ》、恍惚《こうこつ》として我に返らず』っちゅう感じですね」

と仁志は言った。

「何ですか？　ザンジて」

「しばらくのあいだっちゅう意味です」

「なんで、そんなに古い言い廻しばっかり知ってるんですか？」

落語を聴いて覚えた言葉が自然に口をついて出て来るのであろうという仁志の説明に、

「ぼく、紗由里ちゃんを見てたら、ほんまに恍惚とします。ザンジ、コウコツトシテ、ワレニカエラズ……。ああ、その言葉、いまのぼくにぴったりや」

仁志は、もういちど体を捻って虎雄を見つめて、

「紗由里って、そんなに可愛いですか？」

と訊いた。

「古九谷《こくたに》の小皿に描かれてあった梅に鶯《うぐいす》の上品な配色が、熱を帯びて、ほんのりと紅をさしたみたいに浮かんでくる。そんな感じですかね」

「紗由里が？」

「雪の富士に朝日が差すよりも、なんちゅうか、この……、肉体が伴ってるでしょう？　熱き血潮が」

　と北里虎雄は言った。

「北里さんの表現も、いまどきの三十三歳の男とは思えませんね」

　その仁志の言葉に、自分の周りには、客も含めて、みんな年配の人ばかりなのだと言って、虎雄は苦笑した。

「ぼくのこと、トラちゃんでいいです。北里て言いにくいでしょう？」

「歳上《としうえ》の人をトラちゃんなんて」

「いいんです。『ちゃん』づけで呼んでくれる人なんて、子供のころからほとんどいてませんねん。みんな『トラ』。坪木さんは、ぼくに紗由里さんを世話してくれた人ですから……」

「世話なんかしてませんけど。ぼく、女衒《ぜげん》やないので」

「女衒？　何ですか、それ」

　何にも知らんやっちゃなァ、女衒くらい知らんのか。

　仁志はあきれながらも、なんだかおかしくなってきて、自分が「トラちゃん」と呼ぶのなら、そちらも呼び捨てにしてくれと言った。ツボキなと、ヒトシなと。

「いや、そんな失礼なことは」

「まあ、どっちでもええけど、ぼくはトラちゃんに紗由里を世話したんやないからね」

「わかってます。紹介してくれはったんです。ありがとう」

「ぼくは、トラちゃんに紗由里を紹介するために、パンの配達を手伝うてたんやないねんけど。たまたま偶然にそこで逢《お》うただけ」

バックミラーに映る虎雄にそう言ったとき、紗由里が戻って来た。傘は畳んでいた。

八坂神社への道を北へと行きながら、仁志は、なにげないふうを装《よそお》って、紗由里に姉の名を訊いた。バックミラーで虎雄を見ると、笑みを返してきた。

「有紗《ありさ》。二十七歳。独身。年に一回、十日ほど外国をひとりで旅行するのが唯一《ゆいいつ》の楽しみ。そのために三百五十五日働いてるようなもんや」

そう紗由里は言い、北白川のどのあたりまで送ればいいのかと虎雄に訊いた。

「北白川別当の近くです。別当町の交差点で降ろしてくれたら、ありがたいんです。雨もやみましたから、そこからは歩いて行きます」

虎雄は言い、ビニールの包みをといて、店の暖簾と同色の風呂敷《ふろしき》包みを出した。

「その風呂敷、すごくいい匂《にお》いがしますね。お店の暖簾の色と揃《そろ》えてはるんですか？

風呂敷のほうが、ちょっと明るいかなァ」

紗由里は、助手席から手を伸ばして、風呂敷の結び目を指でさわりながら言った。

「暖簾は芥子色ですけど、こっちの風呂敷のほうは刈安色《かりやすいろ》っていうんです。刈安っていうイネ科の植物を乾燥させて、その色素で染めると、こういう澄んだ黄色になるそうです」

虎雄はそう説明し、自然の草花を染料として、いろいろな素材の布を染める工房が伏見にあり、店ではすべてそれを使っていると言った。

「芥子色は、芥子で染めるんですか？　あの料理に使う和芥子で？」

「和芥子は、芥子菜の種子を粉末にした香辛料やけど、あれで布を染めるのか、それとも葉とか花とかで染めるのか、ぼくはそこのところは詳しくは知りません。店に帰ったら、その染物屋さんに訊いてみます。わかったら、すぐに電話で伝えますから、紗由里さんの携帯の番号、教えて下さい」

こやつめ、うまいこと紗由里の携帯電話の番号を訊きだしやがる。

そう思って、仁志は、ひやかすような笑みをバックミラーに映っている虎雄に送った。その仁志の表情に気づいたらしく、虎雄は自分の顔を少しずらして、バックミラーに映らないようにした。

「赤でも、いろんな赤があるんですよ。真朱《まそほ》、洗朱《あらいしゅ》、珊瑚色《さんごいろ》、掻練《かいねり》、桜鼠《さくらねずみ》、朱鷺色《ときいろ》。どれも化学染料は使いません。みんな自然のものです。虫を乾燥させて、それで染めて出す色もあるそうです」

「虫？　蝶々《ちょうちょう》の羽根の鱗粉《りんぷん》みたいなもんで染めるんですか？」

「いいえ、害虫の一種の、ラックカイガラムシとか……。これは鮮やかな赤です。外国には、ケルメスっていう染料が古代からありますけど、これは臙脂《えんじ》虫っていう虫です」

紗由里の電話番号を入力して、北里虎雄は自分の携帯電話を大事そうに背広の内ポケットにしまった。

客に届ける高価な焼物をいつまでも軽自動車に乗せておくのはまずいという気がして、仁志は先に北白川の別当町《べっとうちょう》へと向かうことにした。

「世の中、何が起こるかわかれへん。トラックがぶつかって来たら、その茶碗《ちゃわん》、こなごなになるがな。先に、茶碗とトラちゃんに降りてもらおう。配達の順序を変更や」

八坂神社の前を通り過ぎると、仁志は紗由里に言った。

「その粉引茶碗ていうのを、ちょっとだけ見せて下さい。箱から出さんでもいいですから」

紗由里にそうせがまれて、虎雄は困惑顔で、それはできないと言った。

「これは、美術館とかにおさまるのがいちばんええんです。そやから、これからお届けするのは売るためではないんです。お客さまが、どうしても手に取って見たいって仰言《おっしゃ》ったので、お見せするだけならということで……。そのお客さまにお見せして、箱にもとどおり戻して、ちゃんと包んで、無事にお店に持って帰って、先生にお返しするのが、ぼくの仕事ですので……」

その虎雄の言葉には、たとえ相手が誰であれ、どんな事情であれ、自分の仕事から逸脱することは決してしないという意志が感じられた。

「ちょっと見てみたいなァて思っただけです」

と紗由里は笑顔を虎雄に向けて言った。

仁志は、虎雄を北白川別当町の交差点で降ろし、三軒の配達先を廻って、「ムラタのパン」の二百メートルほど手前で車を停めた。

紗由里が配達用の軽自動車に男と乗っているのを、近所の人に見られるのはよくないと思ったのだ。

運転席に坐《すわ》った紗由里は、伏見の染物屋さんに行ってみたいが、工房のなかを見学させてくれるだろうかと訊いた。

「トラちゃんに頼んでみたら？　携帯電話の番号、交換したんやろ？」

「うん、そやけど、きょう逢うたばっかりの人やもん。あつかましすぎるやろ？」

「トラちゃんなら、なんとかしてくれる」

仁志は笑顔で言い、紗由里に小さく手を振ると、雨あがりの道を、傘とパンの耳の入っているビニール袋を持って歩きだした。線香の箱はジーンズの尻《しり》ポケットに突っ込んであった。

紗由里は相変わらず、職人とか匠《たくみ》とかの世界に惹《ひ》かれつづけているのだなと仁志は思った。

そういう世界へと進みたいのだが、いったいどんなものが自分に合っているのかわからないし、たとえそれがみつかっても、どうやって門を叩《たた》いたらいいのかわからない。

高校を卒業してからの四年間、パン屋の店員をしながら、自分の道を探しつづけてきて、誰かから噂《うわさ》を聞いて、美奈代が造る革製品を見るために「人間止め」の向こうへと入って来たのだ。

それ以来、ときおり美奈代の工房に遊びに来て、悠長な手仕事を見学するようになり、紗由里は筆記具入れをひとつ買った。

美奈代の造るものは、色の鮮やかさに目が行きがちだが、じつは革の厚さと、縫いの頑丈さが眼目で、それはデザインの新しさや奇抜さとは相反することが多い。

そんな場合、美奈代は前者を犠牲にすることはないので、どうしても製品が武骨になってしまう。女性の客は、その武骨さに二の足を踏むのだ。

しかし、紗由里は、美奈代の造る革製品の良さがそこにあるとすぐに理解して、高級ブランドのものより割高な筆記具ケースを買った。

紗由里がパン屋でどのくらいの給料を貰《もら》っているのか知らないが、あの筆記具ケースは、給料と比すと高い買い物だったはずだ。

そんなことを考えて、水溜《た》まりを避けながら歩いている仁志の脳裏には、何度も竹内有紗の顔が浮かんだ。

これまでに、ああ、きれいだなァ、とか、可愛いなァ、とか思って見惚《みと》れた女は何人かいたが、それらとはまったく別種の、強い印象を有紗という女から感じて、仁志は少し顔をしかめて、忘れてしまおうと努めた。忘れてしまわないと少々まずいことになるという気がしたのだ。

パンの耳を貰ったお返しに、昼日中に軽自動車で配達を手伝っているような男など、あの有紗からすればゴミに等しいのだと思った。

仁志は歩調を速めて、「人間止め」の横を通り、佐伯平蔵の住まいへと急いだ。先に錦《にしき》市場へ行って、ポトフ用の牛肉や野菜を買おうかとも考えたが、佐伯はきのうはドイツ人夫婦とあちこちの寺や神社巡りをしたのだから、きっと左膝《ひざ》の強い痛みがぶり返したにちがいないと思った。

灸《きゅう》がどれほど効いたにしても、三日前の夜、初めてすえただけなのだ。ああいうものは速効性よりも、長くつづけることによって得られる真の効力が本物であるはずだから、きょうもすえよう。本人がどんなに遠慮しようとも、いやがろうとも、とにかく二、三週間はつづけてみよう。

仁志はそう思いながら、佐伯の家の前に立ち、格子戸《こうしど》越しになかの気配をうかがった。何の物音も聞こえなかった。

戸を軽く叩き、佐伯の名を呼んだが、返答はなかった。

隣の自分の住まいに戻り、パンの耳を別のビニール袋に小分けにして、それを冷凍庫に入れながら、仁志は自分がひどく寂しさを感じていることを不思議に思った。

佐伯が留守だということで、なぜ自分はこんなに寂しくなるのか。佐伯とは、おといの昼にこの家の前で別れて、まだ二日しかたっていない。それなのに、なぜ佐伯に逢いたいのか……。

「きみは後者だ」

　そう言ったときの佐伯の顔が甦《よみがえ》り、おととい別れ際《ぎわ》に、読んでおくようにと渡された数冊の単行本や雑誌を載せた小さな机の前に坐ると、植物学者と料亭の女将《おかみ》の対談を読み始めた。

　――見よ、この大地を！　三十九億年の地球の生命の歴史と巨大な太陽のエネルギーの下での生命のドラマが目の前にある。まず現場に出て、目で見て、匂いを嗅《か》いで、舐《な》めて触って調べろ！　現代人には二つのタイプがある。見えるものしか見ないタイプと、見えないものを見ようと努力するタイプだ。きみは後者だ。現場が発しているかすかな情報から見えない全体を読み取りなさい。――

　そのくだりのところに来ると、仁志は何度も繰り返し読んだ。

　自分にとって、現場とはどこだろう。そこで何を見て、何の匂いを嗅いで、何を舐めて触って調べるのだろう……。

　仁志は少し体を動かすだけで軋《きし》み音をたてる脚の短い椅子《いす》に腰かけたまま、佐伯がなぜ「きみは後者」だと言ったのかを考えつづけた。

　一時間ほどそうしてから、仁志は錦市場へ行くために家を出た。

　バスで四条河原町まで行き、錦市場の道に入り、以前、安いポトフ用の牛すね肉が置いてあった精肉店へと人込みを縫って歩いた。

月桂樹《げっけいじゅ》の葉は冷蔵庫に入っている。生のタイムは大場に貰おう。大場の家の前には、鉢植えのハーブが何種類もある。

タマネギとにんじんとセロリと、もし蕪《かぶ》があればそれも買おう。それにしても、錦市場にやって来る人々は、なぜこんなに緩慢な歩き方なのか。この流れに合わせて歩いていたら、市場の端から端へと行くのに一時間はかかるだろう。しかし、錦市場は、京都観光に訪れた人が立ち寄るコースになっているのだから、この緩慢さも無理からぬところだ。

仁志は苛立《いらだ》ちながらも、何軒かの八百屋の値段を比べ、財布の中身を計算し、漬物店の、うまそうな試食品を食べた。

漬物店の隣に惣菜《そうざい》屋があり、串《くし》に刺した鮪《まぐろ》の刺身が並べてあった。和風のカルパッチョといった品で、オリーブ油と粒胡椒《つぶこしょう》で和《あ》えてあった。

これはうまそうだと思い、一串取って鮪の切り身を口に入れた途端、

「にいちゃん、これ、試食品とちゃいまっせ。うちの売り物やがな」

とおない歳《どし》くらいの店員が怒ったように言った。

「えっ！　試食品とちゃうんですか？」

「きょう四人目やがな。試食品かどうか訊《き》いてから食べんかいな」

「すみません。お金、払います」

「あたりまえやがな」

串をくわえたまま、仁志が慌《あわ》てて財布を出すと、

「ええやんけェ、一串くらい。こんな並べ方してたら、誰かて試食品やて思うがな」

とうしろで言う者がいた。

「試食品と思わせて、食べたやつから金を取ろうっちゅう作戦やろ」

「やかましい。こら、トラ。どつくどォ」

惣菜屋の青年はそう言い返した。

振り返ると、虎雄が笑顔で立っていた。虎雄は仁志の肩をかかえるようにして、惣菜屋の男に、この人は自分の友だちだと言った。

「俺にも一串味見させてくれよ」

「アホ！　これはきょうの目玉やがな。こいつが口に入れよったやつを食うとけ」

そう大声で怒鳴ってから、ぶ厚い生地の前掛けをした青年は、店の奥へと行き、手提げ袋を持って戻って来て、

「兄貴がこれをトラに渡しといてくれて預けていきよったでェ」

と言った。

「ぼく、払います。幾らですか？」

仁志は千円札を渡そうとしたが、男はいらないというふうに手を振って笑みを浮かべ、

「猫に盗《と》られたと思とくわ。トラの友だちやったらネコやんけ」

と言った。

「こいつ、ぼくと、小学校も中学校も高校も一緒やねん」

虎雄は手提げ袋を受け取りながら、そう言った。

「また来るわ」

「もう来るな、ドロボー」

虎雄と惣菜屋の男は笑いながら手を振り合った。

ポトフを作るために、安くて上質な牛すね肉を探しに来たのだと仁志は言った。

「ええ肉が安う買えるのは、あそこや。あそこの娘も友だちやねん」

虎雄は市場の西側を指差し、仁志と並んで歩きだした。

「茶碗《ちゃわん》は？」

と仁志は訊いた。客には見せるだけで、店に持って帰らなければならないはずの品

を包んだ刈安色の風呂敷《ふろしき》がなかったのだ。

客が、どうしてもひと晩置いていってくれというので、先生に電話をすると、それならそうしてあげてくれと言われて、置いて来た。その際、きょうはこのまま家に帰ってもいいと許可が出たので、ひさしぶりに錦市場に行ってみたくなったのだ。

虎雄はそう説明してから、

「こないだの日曜日、仕事で京都と鎌倉とを車で往復したから、つまり代休をくれはったというわけやねん」

と言った。

仁志は、家はどこなのかと虎雄に訊いた。

清水寺の東側を東山トンネルのほうへ行ったところにある古いアパートだが、自分には家賃が高すぎるので、引っ越そうと思っていると虎雄は答え、何軒かある漬物店のなかでも活気があって品数も多い店の前で立ち止まった。

「ここで、ぼくのお母ちゃんが二十九年間働いててん」

そう言って、虎雄は店内に入って行き、主人らしい老人や、中年の女店員たちと話を始めた。

仁志は漬物店の前に立ったまま、東西に一直線につづく錦市場を見やった。

乾物屋、漬物屋、惣菜屋、精肉店、八百屋、魚屋、茶葉屋、蒲鉾《かまぼこ》屋、菓子屋、調味料屋……。それらがひしめくように軒を並べているが、ところどころに南北の通りが交差して、そこには古い町屋や店舗がつらなっている。

すぐに戻って来ると虎雄に声をかけ、仁志はさっきの惣菜屋へ行くと、自分が確かめもせず食べてしまった一串の鮪のカルパッチョの代金を払おうとした。

「もうええねん。確かにまぎらわしい置き方やしなァ」

と青年は言ったが、虎雄の顔を立ててくれて強く咎《とが》めなかったことはわかっていたので、仁志は一串分の代金を渡した。二百五十円だった。

それが高いのか安いのかわからないまま、お釣りを受け取り、

「もうちょっと塩味が利《き》いてるほうがおいしいと思いますよ」

と青年に言って、仁志は漬物店の前に戻った。

母がここで働き始めたころは、自分も姉も幼くて、家でおとなしく留守番ができる年齢ではなかったと言いながら、虎雄は西へと歩き、小さな四つ辻《つじ》のところに来ると、北側の軒つづきの町屋を指差した。

「あそこに『仕立て』て看板があるやろ？　お母ちゃんが仕事をしてるあいだ、あのおうちの人らに、ぼくとお姉ちゃんはずっと世話してもろてん。ぼくが小学二年生に

なるまで。あの広瀬《ひろせ》さんご夫婦は、お母ちゃんにお父ちゃんを引き合わせて仲を取り持った人やねん。そやから、お父ちゃんが死んでから五年間、家の二階にぼくら一家を住まわせてくれはったんや。そのあと、ぼくらは、ここから十分ほどのとこに移ってん」

仁志は、虎雄がひさしぶりにあの広瀬という家を訪ねたいのであろうと察したが、表で待っていようという気にはなれなかった。

ポトフの材料を買ったら、自分の住まいに帰って作り始めなくてはならない。下準備をして完成するまで二時間はかかる。

とよ乃姐《ねえ》さんに馳走《ちそう》になった巻寿司《まきずし》は胃にこたえるほどの量だったが、仁志は早くポトフを作ってしまいたかった。

家のなかに、いつでも食べられる栄養価の高いものがあるという安心感が、自分を心強くさせることに、仁志は美奈代がいなくなってから気づいたのだ。

「お勧めの肉屋はそこやろ？　何ていう店？　トラちゃんは、広瀬さんとこへ寄ったらええでェ。肉屋には、俺ひとりで行くから」

その仁志の言葉に、

「ぼくが一緒でないと安うしてくれへんで。広瀬さんとこには、いつでも行けるわ」

と言い、虎雄は錦市場の人込みへと戻り、ここの娘も同級生だという肉屋に入って行った。

牛すね肉を五百グラム買い、あまりの安さに驚き、これなら牛バラ肉も五百グラム買えると思い、仁志はそれもうんと値引きしてくれるよう頼んでくれと虎雄に小声で言った。

「合わせて一キロやで。それに野菜も入るんやろ？　そんな大きな鍋《なべ》、あるのん？」

「ホーローの大鍋があんねん。ぼくのお袋の形見みたいなもんや」

予算を大幅に下まわったので、ブーケガルニも買えるなと思い、虎雄の勧める八百屋で野菜を買ってから、仁志は調味料屋に入った。

買い物をすべて終えて、虎雄に礼を言うと、ポトフとはどんな料理なのか、自分にも作れるかと虎雄は訊いた。

「簡単や。肉と野菜をことこと煮るだけやし、ぎょうさん作って、小分けして冷凍しといたら、いつでも食べれるで」

「作り方、教えてくれよ。これから作るんやろ？　手伝いながら覚えるわ」

ならば、今夜はポトフを食べて行けと誘ってしまってから、虎雄にパンの耳を出すわけにはいかないなと仁志は思ったが、錦市場を河原町通りへと歩きながら、自分の現在の窮状を正直に説明した。

　すると、虎雄は、米を五キロ買うという。

「ヒトシ、ここで待っててくれ」

　虎雄は錦市場へと戻り、すぐに五キロ入りの米の袋を持って走って来た。

「完全無農薬、化学肥料なしの新潟産コシヒカリ。この米を作った人の顔写真入り。お金払う言うても、取りはれへんねん。たまに来て、お米を貰《もら》いに行ったようなもんや」

　そう言って、虎雄は笑った。

「錦市場には知り合いだらけやねんなァ。心強い友だちができたなァ。俺の運勢、まだ地に落ちてないがな」

「ここで育ったんやもん。錦市場は、俺の遊び場やったんや。俺の友だちは、ほとんど店を継いで、そこの主人になっとんねん」

　河原町のバス停へと歩きながら、虎雄は言った。わずか百メートルほど歩いているあいだに、虎雄は五人の知り合いと立ち話をしたので、下京区《しもぎょう》の「人間止め」の前に帰り着いたのは五時前だった。

　仁志はすぐに流しの下の戸袋からホーロー鍋を出した。鍋のなかには料理用のタコ糸が入っている。

それで牛バラ肉を縛り、野菜のへたの部分を大きめに切り取り、鍋に水とブーケガルニを入れた。

「この野菜のくずは、香りづけや。ハーブ代わりや。すね肉は、ちょっと大きめに切る。バラ肉は煮あがってから切るねん。トラちゃん、にんじんとセロリの皮をむいてくれ。俺はタマネギの皮をむいて、クローブを刺すから」

仁志は包丁を虎雄に渡し、ガラスの小壜《こびん》に五つ残っていたクローブを、タマネギに刺した。

仁志は、虎雄の包丁の使い方が、あまりに危なっかしかったので、自分で料理をしたことはないのかと訊いた。

「ずうっとお母ちゃんと暮らしてたからなァ。お母ちゃんが福知山に行ってからは、朝は牛乳とパン。昼は、店で先生の奥さんが作ってくれはるのをよばれて、夜はたいていコンビニ弁当」

そう言いながら、虎雄は、家のなかのあちこちを見廻してから、ここの家賃は幾らかと訊いた。

「四万二千円。この二軒は長屋やないから、ちょっと高いねん。くっついてるように見えるけど、家と家とのあいだは離れてる」

人ひとりがやっと通れるほどの幅だが、そのお陰で、お互いの家の物音や話し声が、壁越しに聞こえることはない。ただそれだけのことで、他の借家よりも五千円高いのだ。

仁志は説明しながら、セロリとにんじんの皮をむき、それも鍋に入れて火をつけた。

「最初は強火。煮たったら弱火にして、灰汁《あく》を取って、一時間半ほどそのまま煮る。そのあと、野菜の皮とくずを取って、野菜の本体を入れて、塩と胡椒で味つけして、三、四十分煮る。それだけ。きょうはバラ肉も使うたから、ひと晩、冷蔵庫に入れといたら、あしたには表面に脂《あぶら》が浮いて固まるから、それを取るんや。もう覚えたやろ?」

「うん、たぶん。灰汁取りは、俺でもできるで」

「あたりまえや、それくらいしてくれよ、と言いたいとこやけど、コシヒカリ五キロを寄付してくれたから、のんびりと出来あがりを待っててくれよ」

仁志は台所の窓をあけた。日が差してきた。あしたはいい天気だと仁志は思い、

「あっ、『寝床』や」

と声に出して言った。

佐伯平蔵が、逢《あ》わないつもりだったドイツ人夫妻に逢う気になったのは、ホテルのバスタブのなかで志《し》ん生《しょう》の「寝床」を聴いたからだ。行方不明になった番頭は、いまドイツにいる、という破天荒なオチが、佐伯の予定を変更させたのだと思った。

煮立ち始めたポトフのアクを取りつづけ、ガスの火を弱火にし、鍋に少しずらして蓋《ふた》をして、うしろを振り返ると、虎雄は畳にあお向けになって、枕《まくら》もせずに眠っていた。

「無防備なやつやなァ。初めて来た家で、これだけ気持ち良さそうに眠れるかなァ」

そうつぶやきながら、仁志は押し入れから掛け蒲団《ぶとん》を出し、虎雄の体にかぶせた。そして、オーディオ・プレーヤーのイヤホーンを耳に突っ込んで、志ん生の「火焔太鼓《かえんだいこ》」を聴いた。

この人の声には愛嬌《あいきょう》があるのだ。可愛《かわい》らしさと品があるのだ。これればかりは修練によって身につくものではない。もともとあったものが、修練によって磨かれていったのだ。

この人は、ある時期、落語家をあきらめて講談師に弟子入りしたが、そのために落語の世界に戻ってから長く不遇のときを持った。

しかし、その迷いのなかの無駄な寄り道と思える講談の修業が、落語家に復帰してからの彼の話芸に独自のめりはりをもたらすときがやって来る……。

仁志は、虎雄の穏やかな寝顔につかのまの西日が当たっているのに見入りながら、ひとりの落語家についてこのような考え方をしたことはなかったと思った。

俺が、いまの自分に不遇という言葉を使えば何物かに強く叱責《しっせき》されるだろう。何かをめざして耐えるとか、つらい修業に身を投じるとか、そんなことからは逃げつづけて、俺は二十代を無為にすごしてきた。

俺は、北里千満子《ちまこ》の三十二年間を、もっともっと深い敬意の念で思いめぐらさなければならない。

そんな女性が生み育てた子が、いま俺の借家の六畳の座敷で気持ち良さそうに軽く口をあけて眠っている。三日前、知り合ったばかりなのに……。

仁志は、鍋のなかに、クローブを刺したタマネギを二個と、大きめに切ったセロリとにんじんを入れると、再び火を大きくして水を足した。

煮立ってきて、野菜からのアクが出て来ると、イヤホーンを外し、仁志はアク取りに専念した。タマネギのうま味が肉に沁《し》み込むには、弱火にしてから四十分くらいかかりそうだった。

「多いなァ。バラ肉も入れたからなァ。そやけど、このバラ肉が、すね肉をジューシーにして、うま味を加えるねん。これが坪木家のポトフや」

そう小声で言いながら、仁志はスープの味見をした。

「うん、これで、あとはことことと煮ていって、火を止めて、いっぺん冷ましたら、野菜に肉のうま味が沁み込んで完成や。やっぱりブーケガルニを買うたのは正解やったなァ。いっぺん冷ますのに一時間はかかるかなァ。出来上がりは八時ごろかな」

「いっつも、そうやってひとりごとを言うてんのん？」

その虎雄の声で、仁志は「うわっ」と声をあげた。

「なんやねん、そのくぐもった声は。地の底からささやきかけてくるみたいな声やったで。びっくりするがな」

寝起きの声はいつも低くて、店に行くと先生に、その声はなんとかならないのかと叱《しか》られるのだと虎雄は言いながら、起きあがって鍋のなかを覗《のぞ》き込んだ。

「目を醒《さ》ましてから一時間くらいは、こんな声やねん。子供のときからずっとやねん。喉《のど》にポリープみたいなのができてるんとちゃうかと思うて病院で診てもろたけど、なんともないねん」

「いつ病院に行ってん？」

と訊《き》き、仁志は火を弱めた。

「高校を卒業して半年目や。『新田』で働き始めてすぐのころや」

「それまでは何をしてたん？」

「地図を作る会社に就職して、測量の助手をしてたんやけど、俺、数字に弱いねん。測量っちゅうのは、かなり高度な数学が要求されるねん。俺の数学の能力は、小学三年生くらいで止まったままやねん。分数の引き算でわからんようになって、それきりや」

「それは数学とちごうて算数の初歩段階で挫折《ざせつ》やがな」

「うん。そやけど、ヒトシがあと一、二カ月でホームレスになる確率が九〇パーセント以上やということはわかるで」

虎雄はそう言って、狭い洗面所や風呂場《ふろば》を覗き、その窓から物干し場を眺めたりした。

「俺が、この家に同居して、家賃と光熱費の半分を払うたら、ヒトシはホームレスにだけはならんですむでェ。履歴書の『現住所』の欄が空白やったら、どこも雇うてくれへんねんから」

仁志は、しばらく虎雄の顔を見つめ、真意をはかりかねて、

「この六畳一間のあばら家で、俺とトラちゃんが暮らすのか？　本気か？」

と訊いた。

「ヒトシをホームレスにさせんためには、それしかないやろ」

「恩着せがましい言い方をしやがって。家賃の安いとこ探してるけどみつかれへんから、ここに住まわせてくれと正直に頼め」

少し腹が立って、仁志はそう言いながら、米の入っているビニール袋を虎雄の腹にぶつけるように渡した。

「ご飯くらい炊《た》けるやろ？」

「ご飯を炊いたら、ここに引っ越して来てもええ？　ここに住まわせて下さい」

虎雄は米の袋をテーブルに置き、畳に正座して深々と頭を下げた。

「いびきはかけへんやろなァ。脳天に響くような歯ぎしり持ちとちがうやろなァ」

確かに、いまの自分にはありがたい申し出なのだが、昔、友人と同居生活をしてひどい目にあったので、仁志はそう訊いた。

「歯ぎしりはせえへんと思うで。いびきは、ときどきかくけど、そんなにうるそうない可愛らしいいびきやて」

「誰がそう言うてん？」

「お母ちゃんが」

「それは、親の欲目っちゅうやつかもしれんがな」

仁志は、椅子《いす》に腰を降ろし、大学を卒業して半年後に、勤め先の近くのワンルームマンションを同僚とふたりで借りたが、予想に反してろくでもないやつで、十日目には、こいつとは一緒に暮らせないと決断を下すしかなかったのだと言った。

「夜中になってても延々とテレビゲームをつづけよる。食べたものは片づけよれへん。洟《はな》をかんだティッシュは床に放り投げてある。使うた食器はテーブルにちらかったまま。汚れた下着はベッドに積み上がってる。掃除はしよれへん。生ごみは出せへん。人間の大きさのウジ虫と暮らしてるのと一緒や。俺は、もうあんなことはこりごりやねん」

「あ、それやったら、俺は大丈夫。トラは掃除魔やてお姉ちゃんにいやがられたくらいやねん。テレビゲームの機械なんか持ってないし、人のプライヴァシーにはいっさい干渉せん主義やし、つきおうていくうちに、なかなか深いところが出て来る男やと思うで」

「自分でそんなことを言うやつ、俺は信用でけへんなァ。得意な料理はあるか？」

「鍋物《なべもの》全般」

「そんなもん、誰でもでけるがな。具材を鍋に入れて、ガスに火ィつけたらええねん」

「そんなことないでェ。俺が作る手羽先鍋は完全無欠の栄養食やでェ。ヒジキとキクラゲをどっさり入れるねん。牡蠣《かき》も少々。あした作ったるわ」

「あした、引っ越してくる気ィか？」

「ヒトシのお許しが出れば今夜にでも」

決断がつきかねている仁志を、正座したまま上目使いで見つめていた虎雄は、あっと大声をあげて立ちあがった。

「バッテリーの修理を忘れとった。きょう中に車が動くようにしとかんと、えらいこっちゃ」

そう言うなり、虎雄は座敷に脱ぎ捨てていた背広の上着とネクタイをつかんで家から走り出た。

「こらァ、ご飯は誰が炊くねん」

仁志が叫んで玄関へと追って行ったときには、虎雄の姿はなかった。

まあいいか。ポトフの野菜に火が通るまで、あと二、三十分かかるし、粗熱《あらねつ》を取って、鍋ごと冷蔵庫に入れて冷やし、上に脂が固まるまでは完成ではないのだ。

仁志はそう考え、壁に凭《もた》れて畳の上に坐《すわ》った。

家賃と光熱費が半分になるのもありがたいが、自分たちで何かを作って食べるのなら、そのぶんの食費も折半なのだ。

虎雄はあの北里千満子の息子なのだ。約束は守る、言ったことはやりとげる、という心を継いでいるはずだ。

錦市場の人々とのやりとりからも、虎雄がみんなに好かれていることはわかる。

虎雄が勤め先でどのくらいの給料を貰《もら》っているのかわからないが、修業中の身なのだから、生活するだけで精一杯の薄給であろう。

「新田」の店構えから推すると、観光客とか、一見《いちげん》の客を相手にする商売ではなさそうで、それだけに、言葉遣いや立ち居振る舞いについての躾《しつけ》は厳しいことだろう。

焼き物の世界のことは自分にはさっぱりわからないが、あのような店の顧客というのは、さまざまな面においてレベルが高いであろうから、主人と客の会話も、いわばおとなの呼吸で為《な》されていて、虎雄は知らず知らずのうちに、それらを学んでいるだろう。

よし、共同生活を承諾しよう。

仁志はそう決めて、さてそれならば、少し部屋の家具の配置を変えねばなるまいと考えた。

家具といっても、ジッパーで開け閉めする簡易タンスとテレビ、それに机と椅子が一組だ。配置を変えてもどうなるものでもない。

問題は、虎雄がどれだけの家具や生活用品を持ち込んでくるかだ。

まさかベッドなんか持ってこないだろうな。それを六畳一間に持ち込むというのなら、この話はご破算だ。

仁志はポトフの野菜に火が通ったので、塩と胡椒《こしょう》でもういちど味を調えて火を消した。

日が落ちたころ、祠《ほこら》のところから近づいて来る佐伯平蔵の足音が聞こえた。ステッキをついているので確かめるまでもなかったが、仁志は長く離れて暮らしていた親に再会するような心持ちで急いで座敷から降り、玄関の戸をあけて、

「おかえりなさい」

と佐伯に言った。

背広を着てネクタイをしめた佐伯は、小さな旅行鞄《かばん》を持っていた。

「きみのお灸《きゅう》のお陰で、ひとりで東京へ行って、日帰りで帰ってこられたよ」

と佐伯は笑顔で言った。

仁志は、佐伯の鞄を持ち、

「東京へ行かれてたんですか？」

そう訊き返しながら、佐伯のうしろから家のなかに入った。

「けさ七時前の新幹線で上京して、浜松町にある会社の会議に出て、会長とひさしぶりに昼飯を食べて、三時過ぎの新幹線で帰って来たんだ。その間、痛みで歩けなくなることはなかったよ。きみのお灸がこんなにぼくの膝《ひざ》に効くとはねェ」

佐伯は、ステッキを玄関の下駄箱に立てかけて座敷にあがり、背広の上着を脱いで、ネクタイを外した。

「会社の会議……」

「うん、ぼくは、もう長いこと、あの会社の相談役として、役員に名を連ねてきたんだ。ドイツで一緒に苦労した社長の好意でね。社長は七年前に会長になったんだ。たくさんの社員が育ってくれて、いい後継者に恵まれてね。やっとその相談役からも退《ひ》かせてもらうことになった。死ぬまでうちの社の相談役として役員でいろって、会長は言ってくれたけど、いつまでも年寄りが役員会に顔を出してるのは良くないからね。来月の株主総会で正式に退任だ」

仁志は、佐伯が話しながら普段着に着替えようとしたので、

「いまから灸をすえませんか？　もしそうなさるのなら、パジャマに着替えるほうが

ええんですけど」

と言った。

腕時計を見てから、佐伯は、そうしてくれるならありがたいと応じた。

仁志は自分の家に戻り、もぐさと線香を持ち、携帯電話をジーンズのポケットに突っ込んだ。

鍋の粗熱はまだ取り切れていなかったが、仁志はそれを冷蔵庫に入れ、佐伯の家へと行き、宮津のホテルでやったのと同じように、灰皿と濡《ぬ》れタオルを自分の近くに置いた。

パジャマに着替えた佐伯は、体の左側を下にして蒲団に横たわり、

「清水寺の門前の坂にはまいったよ。ドイツ人のご夫婦も元気だとはいえ、八十歳だからねェ。その前に金閣寺に行ってるし、清水寺の次は平安神宮だって言うから、これはいくらなんでも、ぼくの膝はもたないと思って、観光客用の人力車に乗ったよ。ご夫妻は清水の舞台にもあがったけど、ぼくは下で待ってたんだ。しかし、京都ってとこは、神社仏閣だらけだねェ。いまさらながら驚いたよ」

そう言って、シガレット・ケースから煙草《たばこ》をくわえたが、火はつけなかった。

仁志が、指でもぐさを紐《ひも》状にしながら、煙草に火をつけようとすると、佐伯は、た

だくわえているだけでいいのだという。

「赤ん坊の、ゴムの乳首みたいなもんだな。ときどき口寂しくなるんだ」

指先で押さえて、佐伯が「イタキモチイイ」と言うところは、一回目の灸のときとは微妙に違っていた。

「火傷《やけど》の痛さは感じませんでしたか？」

「それがねェ、きみがすえてくれた灸で、あくる日も、その次の日も、火傷かなァと感じる箇所がひとつもないんだよ。きみは、灸をすえるのが、よほど上手なんだ。しかも、この効きめ。感心したよ」

「ぼく、お灸の才能があるのかも」

調子に乗るとまた叱られるぞと思いながらも、仁志はそう言ってから、多すぎる日当への礼を述べた。

「お灸の施療代《せりょうだい》も入ってるよ」

その佐伯の言葉が、冗談なのか本気なのかわからないまま、

「じゃあ、毎日すえましょう」

と仁志は言い、もぐさを「イタキモチイイ」ところに載せて火をつけた。

「お灸ってのは、毎日すえてもいいのかい？　それとも一日置きとか二日置きとか、

少し間を置いたほうがいいのかい？」

そのことは自分も気になったので、宮津から帰った日に青木に電話で質問してみたと仁志は言った。

皮膚にダメージがなく、本人が心地好《ここちよ》くて、効果があらわれているなら、しばらく毎日つづけてもいい。痛みがやわらいだら、一日置きか二日置きにすえるのがいいと思う。

青木はそう助言してくれたのだ。

「そうかァ、じゃあ、五日間ほど毎日すえてもらおうかな」

仁志の言葉で、佐伯はそう言った。

慣れてくれば、もぐさをもう少し太くしてみてはどうかと青木は言ったのだが、そうすれば、つまみ消すときに自分の指が火傷しないか心配だったし、なによりも佐伯に火傷させたくないので、仁志は太さ三ミリを厳守することに決めていた。

「きみにこうやって灸をすえてもらってるとね、なんていうのか、こう、心が安寧《あんねい》になっていくんだ。体が温まってくるからかもしれないけど……」

佐伯はしばらく黙り込み、何か言葉を探しているといった表情で天井を見てから、

「いやな思い出が、あれはあれでよかったんだ、いい方向へと行くためにあのとき

はひとときの不運に見舞われたんだ、あの不運や不幸は、のちの大きな幸福のためにあったんだって、はっきりとわかってくるんだ」

と言った。

「灸をすえてるとですか？」

「うん、我ながら奇妙な安寧感なんだよ。これは何かある……。いったいどういうことだろうって考えて、きのうの夜、鍼灸院《しんきゅういん》へ行ったんだ。ここから北へ行って、中京区に入ったところにあるんだ。灸のすえ方はおんなじだったよ。もぐさはもうちょっと太かったなァ。でも、三十分ほどでやめてもらったよ。まったく効いてる感じはしないし、安寧感も生じない。早くやめてもらいたくて、気持ちが落ち着かなくてね」

「これは何かあるっていうのは、何があるんですか？」

会話をしながらだと、もぐさの火をつまみ消す頃合を間違えるかもしれないと案じながら、仁志はそう訊《き》いた。

「世の中で、というよりも、我々ひとりひとりの身の廻りで起こることに、偶然てものはないってことだよ」

仁志は、佐伯の言っていることがよくわからなかった。人間には相性というものがあるから、なぜ素人《しろうと》の坪木仁志のすえる灸が、こんなに心地好いのかを、佐伯は鍼灸の専門家のところで考えようとしたのかと思った。

相性だけだろうか。それとも、もっと他に何かあるのか、と。

痛む部分の周辺の、七箇所の「イタキモチイイ」つぼに、それぞれ十回ずつ灸をすえると、仁志は膝から遠く離れた足の甲とか、太腿《ふともも》にすえる前に、少し休憩をとり、清水寺の近くで北里虎雄とでくわしたことを佐伯に話した。

「小さいけど、敷居の高そうな陶磁器店でした。彼を北白川別当の近くで降ろして、いっぺんここに帰って来てから錦市場へ行ったんです。そしたらまたトラちゃんとばったりでくわして」

仁志は、ひょっとしたら北里千満子の息子と一緒に暮らすことになるかもしれないということも話して聞かせ、再び、もぐさを紐状にして、新しい線香に火をつけた。

佐伯は、虎雄のことをよく覚えていた。自分が車のなかで植物学者の著書を読んでいると、母親と一緒に挨拶《あいさつ》に来てくれたし、急遽《きゅうきょ》帰らなければならなくなったときも、再び挨拶をしてくれたという。

「いい顔をしてた。頰が豊かで、きれいな目だった。きっと親孝行な子なんだ。そうか、きみとあの子とが、これからこの家の隣で一緒に暮らすようになるのか」

佐伯の笑みを見て、

「これも偶然やないんですか？」

と仁志は訊いた。

「なんでもかんでも、すべてのことに意味があるんだよ。きみはこれからそれを思い知っていくよ」

携帯電話が鳴ったが、仁志は三里《さんり》と呼ばれるつぼにもぐさを付けたので、電源を切ろうとした。

「トラちゃんからだよ。出なさい」

佐伯にそういわれて液晶の画面に表示された文字を見ると、確かに虎雄からだった。

車のバッテリーは完全にあがってしまっていて、充電だけでは無理なので、新しいバッテリーに交換するしかなくなったが、なぜそこまで放電してしまったのかの原因を調べなければならない、と虎雄は言った。

仁志は、いつ引っ越して来るのかと虎雄に訊いた。

「あの家に一緒に住んでもええのん？　それやったら、今夜にでも行くけど」

「どうせ、ポトフを食べに来るんやろ？　ご飯も俺が炊《た》いとくわ」

仁志は電話を切り、今夜引っ越して来るとしたら、荷物はどうやって運ぶのだと思いながら、佐伯の膝の周り以外のつぼに灸をすえていった。

「あさって、その北白川別当の近くへ行くよ。そこでの用事が早く済んだら、そのまま四日市《よっかいち》へ行って、そこで泊まることになるなァ。ホテルを予約しといてくれ」

と佐伯は目を閉じたまま言った。

「四日市……。三重県の四日市市ですか？」

仁志の問いに、そうだと答え、佐伯は自分の膝をさすりながら、ここのつぼに、それぞれ五、六回ずつ灸をすえてくれと言った。

「あさって、何時に出発しますか？」

「夕食を四日市でとる算段で行こう」

「じゃあ、逆算して何時に出ればいいか調べて、あとでおしらせします」

仁志が、七箇所のつぼに六回ずつ灸をすえ終わったのは八時だった。

宮津のときの倍の数をすえたことになる。大丈夫だろうかと心配だったが、座敷に立ちあがって、軽く膝を屈伸させた佐伯は、仁志を見つめ、

「これはやっぱり何かある」

と言った。顔には笑みはなく、射すくめるような目だった。

仁志は敷いた蒲団《ふとん》を押し入れに戻し、佐伯平蔵という老人の、ひとり暮らしの部屋をそれとなく見廻した。

抽斗《ひきだし》が五つの古い桐《きり》の箪笥《たんす》、それと同じ丈の洋服箪笥、文机《ふづくえ》、本棚。

六畳の座敷は、それらによって五畳に満たない広さしかなかった。

かつては三畳の間で、いまは洗面所と風呂場《ふろば》になっているところには、脚を折り畳める卓袱台《ちゃぶだい》が立てかけてある。

壁には、時計とカレンダーが掛けてあり、和箪笥の上にはCDコンポとスピーカーが置かれている。

「みんなオペラだけど、もうじきここに志ん生の落語が加わるよ」

志ん生名演集のCDセットを全巻買ったのだという。

「会社の若い子にパソコンで申し込んでもらったんだ。お金は渡してきたよ。届くのは来週くらいらしい。ぼくも、きみと同じデジタルのオーディオ・プレーヤーを買おうかと思ったけど、あれに録音するためには自分のパソコンが必要なんだってね。そのためだけにパソコンを買って、使い方を習うなんて、面倒臭いし無駄だしね。この歳《とし》でパソコンを習う気にもなれないよ。ぼくは機械工学が専門だったから、教えてもらったら飲み込みは早いかもしれないけど、身の廻りに物を増やしたくないんだ」

佐伯は、パジャマを普段着に着替えながら言った。

仁志は桐の箪笥の上に並んでいるCDケースを見た。「フィガロの結婚」、「ドン・

ジョバンニ」は聴いたことがあったが、その他は知らないものばかりだった。

「そうなんです。自分のパソコンからプレーヤーに曲を入れないと、面倒臭いことがたくさん生じるんです」

仁志は自分の住まいに行き、ノートパソコンを持って戻って来て、画面を見せながら説明した。

「でも、オペラでもクラシック音楽でも、インターネットなら一曲五百円くらいで買えます。昔の名盤もたくさんありますし。パソコン、お買いになったらいかがですか？　CD再生の機能が付いていたら、小型ので充分です。あのデジタルのオーディオ・プレーヤーなら二万曲くらい入ります。もっと入るかも。ポケットに入れて、どこへでも持って行けますし」

「つまり、ぼくが自分用のプレーヤーを買っても、きみのパソコンを使ったら、そこにインポートしてある曲が全部ぼくのほうに入ってしまうってことだな」

そのとおりですと答えながら、そうか、この人はパソコンのシステムをよく理解しているのだなと仁志は思った。

佐伯は、画面をスクロールしていたが、

「あれ？　デクスター・ゴードンがある。ぼくはジャズのサックス奏者では、この人を最も高く評価するよ。わざと音を濁らせたり、くぐもらせたりっていう小細工をしなくて、どこまでも澄んでる」

「デクスター・ゴードンをご存知ですか？　ぼくのパソコンには、彼の曲が六十曲くらい入ってるんです」

仁志は嬉《うれ》しくなって、また家に行き、オーディオ・プレーヤーを持って来ると、「ラウンド・ミッドナイト」を選択して、イヤホーンを佐伯に渡した。

佐伯は立ったまま、それに聴き入っていたが、曲が終わるとイヤホーンをはめたまま、

「よし、パソコンとプレーヤーを買って来てくれ」

と言った。

「えっ？　いまですか？　パソコンてのは、いま買って来て、すぐに使えるってもんやないんです。初期設定だけでも手間がかかりますし、どういう接続方法にするかも選ばなあきません。ぼくのはケーブル接続ですけど、その会社と契約もせなあきません」

「じゃあ、きみの家にあるケーブルで接続したらいいじゃないか。ぼくはパソコンのメールなんか使わないんだ。見なきゃいけないサイトもブログもないよ。ＣＤを入れ

て、それを自分のプレーヤーにダウンロードするだけなんだ。いますぐ電器店に行って買って来てくれ。両方で幾らくらいだい？」

仁志は、壁に掛けてある時計を見た。大型電器店に勤めている吉崎律哉《りつや》に頼んでみようと思った。あいつはいまも京都駅北店にいるはずだ……。

すぐに電話に出て来た吉崎は、

「さっき、染井が来よったで。あいつ、女のことでお前に助けてもろたらしいなァ」

と以前と変わらぬ元気のいい声を返して来た。

染井と鈴美とのことは、うまく解決したのだなと思いながら、仁志は至急に小型のパソコンとデジタル・オーディオ・プレーヤーが必要になったので、適当にみつくろって持って来てくれと頼み、その理由を説明した。

接続はどうするのか。メールアドレス取得はしないのか。予算はどのくらいか。

それだけ訊くと、三十分ほどしたら店を出て自分の車でそっちへ行くと言って、吉崎は電話を切った。

「今晩中に、ここにあるＣＤを全部、佐伯さんのプレーヤーに入れておきます」

「早いね。きみは人脈が広いねェ」

「いろんな職場を転々としてますから」

仁志は苦笑しながら、いまの電話の相手は大学時代の友だちで、とにかく何をさせても仕事が早いのだと言った。

「結婚式の前に子供が生まれましたし」

佐伯は、デクスター・ゴードンの六十曲も、自分のプレーヤーに入れたいが、それは可能かと訊いた。

「いまの吉崎ってやつは、パソコン関係には詳しいですから、どうするのがベストか相談してみます」

仁志はそう言って、箪笥の上に並べてあるCDのケースを受け取った。

フィガロの結婚、魔笛、ドン・ジョバンニ、蝶々《ちょうちょう》夫人、リゴレット、サロメ、カルメン、カヴァレリア・ルスティカーナ、アイーダ、ワルキューレ、椿姫《つばきひめ》……。

それらを持って、佐伯の家から出ながら、

「ぼくの作ったポトフを召しあがりませんか?」

と仁志は言った。

「翌日のポトフがいちばんうまいから、ぼくはあしたの夜にご馳走《ちそう》になるよ」

そう笑みを浮かべて言ったあと、

「職を転々とするのは、もうこれで終わりなさい」

と何気ない口調でつけくわえ、佐伯は風呂場のほうへ行った。

これで終われ？　こんど働き口がみつかったら、そこで頑張れ、何があろうと辞めるな。佐伯はそう言いたかったのだなと考えながら、仁志は自分の住まいに戻り、冷蔵庫から重いホーロー鍋《なべ》を出し、ポトフの表面で固まっている脂《あぶら》の層をきれいに取り除き、それをラップに包んで、生ゴミ用のポリ袋に入れた。

以前、脂を流しの排水口に捨てて詰まらせたことがあるのだ。

段ボール箱をかかえてやって来た吉崎律哉は、あさってから伏見店の店長になるのだと言い、自分の推奨するパソコンの説明を始めたが、作業の手はすでに動いていた。

「ネットのサイトのほうから曲を買う場合は、このパソコンでアクセスして、仁志のＩＤとパスワードを使《つこ》うたらええんや。そのぶんの代金を、仁志は佐伯さんから貰《もら》う。それだけのことや」

吉崎は言い、手早く設定作業を終えると、これもお勧め品だと本格的なヘッドホンを出した。

車や電車のなかで聴くときにこのヘッドホンを使うと、振動とか雑音が遮断されて、最良の音質が得られるが、外部からの必要な音もちゃんと聞こえるのだという。

「たとえば、クラクションの音とか、踏切で鳴ってるチンチンチンて音とか、誰かが話しかけてきた声とか。そういうもんはしっかりと拾うんや」

吉崎は、要らなければ、あした代金を支払いに来たときに返してくれればいいと言って帰って行った。

仁志が、まずオペラのＣＤをパソコンにインポートしていき、それをオーディオ・プレーヤーに入れ終わったとき、

「お世話になります」

と言いながら、北里虎雄が格子戸《こうしど》を小さく叩《たた》いた。衣類を入れているらしいポリ容器が三つ、格子戸の前に置いてあった。

虎雄は小路を走って行き、次に蒲団をかついで来て、仁志がそれを受け取ると、また「人間止め」のほうへと戻った。

手伝おうとして小路を歩き出すと、虎雄は大きな段ボール箱をふたつ持って来て、

「これで終わり」

と言った。

「どうやって、ここまで荷物を運んで来たんや？」

「友だちが、勤め先のライトバンで運んでくれたんや。もう帰りよった。俺の店の車は、まだ修理屋や。放電の原因がさっぱりわかれへんねん」

虎雄は、とりあえず段ボール箱を玄関に置き、蒲団を自分で押し入れにしまうと、座敷に正座して、

「きょうからお世話になります。ぼくと一緒に暮らして、ほんまによかったと思ってもらえるよう努力します」

と言った。

仁志は笑い、段ボール箱を座敷に運び、

「家具はないのか?」

と訊《き》いた。

「全部捨てて来た」

「どこに?」

「友だちのライトバンのなかに。あいつが、貰うから置いて行けって」

「電気製品なんて、ひとつもないのか?」

「小さな冷蔵庫とトースターだけや」

その冷蔵庫も貰ってもらったという。

虎雄は、二段になっている押し入れの下に、自分が持って来たものを入れたが、ひとつの段ボール箱だけは、洗面所の横に大事そうに置いた。

「あした、ちゃんと片づけるわ。きょうはもう腹が減って立ってられへん。ポトフっちゅうやつにありつけると思うて、冷蔵庫に残ってたもんは全部捨てたんや」

仁志は、ポトフ用の皿を出して洗い、鍋を火にかけて、

「あっ、ご飯を炊《た》くのを忘れてた」

と言った。

「えっ！　冷凍したご飯も捨ててしもたがな。炊いてから二カ月もたってたから」

佐伯平蔵に頼まれて、新しいパソコンと、デジタル・オーディオ・プレーヤーを買ったこと。友だちがそれを持って来て初期設定をしてくれたこと。十数枚のオペラのCDをそのパソコンにインポートしていたこと。

仁志は、それを説明しながら、机の上の真新しいパソコンやCDケースを指差した。

「きょうはパンの耳にしとこ。こんなええお米を、水にひたす時間なしに炊くのは勿《もっ》体《たい》ないがな。紗由里に貰たパンの耳、トラちゃんには、たまらん味やと思うで」

「いやや。俺はご飯が好きやねん。米を水につけとくのは三十分ほどでええがな。俺は、絶対にポトフをおかずに炊きたてのご飯を食べるねん」

虎雄はそう言って、ビニール袋をあけて、自分で米を研ぎ始めた。その慣れた手つきを見ながら、仁志は、佐伯のオーディオ・プレーヤーを試聴してみた。

「うん、ちゃんと全部入ってる」

そうつぶやき、仁志は佐伯のパソコン類と説明書を持って家を出た。吉崎が勧めたヘッドホンも佐伯に渡し、使い方を説明した。

「ポトフ、やっぱり今夜ご馳走になるよ。出前をしていただけるとありがたいね」

と佐伯は言い、ヘッドホンの長さを調整して、プレーヤーの再生ボタンを押した。

「いい音だねェ。ぼくのCDコンポのスピーカーでは出ない音が見事に聞こえるよ」

「ポトフ、いま温めてますが、お米は、いまトラちゃんが研いでますので……」

「えっ、まだ米を研いでる段階かい？　今夜はうちにも炊いたご飯がないんだ。年寄りのやもめ暮らしは不自由だよ」

まさか佐伯に、パンの耳をというわけにはいかないと思い、

「あと一時間ほどお待ち下さい」

と仁志が言ったとき、虎雄が、こんばんはと丁寧にお辞儀をしてから入って来た。手には年月を経て黒く変色した四角い桐箱《きりばこ》を持っていた。

きょうから坪木さんと同居生活をするようになり、佐伯さんの隣家の住人となった。なにとぞよろしくお願いする。これは、お近づきのしるしというのではなく、北里千満子の息子としての、ほんのささやかなお礼の気持ちだ。ご迷惑でなければ貰ってい

ただきたい。自分が持っている焼物のなかでは、誰に見せても恥ずかしくないものだ。

虎雄は、そう言って、桐箱を十字に結んである青い紐《ひも》をほどいた。

刈安色《かりやすいろ》の布に包まれているのは、高さ四センチほどの、盃《さかずき》といえばいえる、小さな湯呑《ゆの》み茶碗《ぢゃわん》ともいえる、蕎麦猪口《そばちょこ》としても使える、茶色の肌の粗さに味のある焼物だった。

「唐津《からつ》の初期のものです。これでお酒を召し上がっても、お茶でもコーヒーでも、お好きに使って下さい。もともとは生活雑器ですから」

佐伯は幾分膝《ひざ》をかばうようにゆっくりと座敷に正座し、その唐津の焼物を両手で受け取ると、老眼鏡をかけて眺め入った。
五、六分、無言で上から横から下から、その焼物を見つめ、
「これは、ぼくが頂戴《ちょうだい》するわけにはいきません」

と佐伯は言った。

焼物のことはよくわからないが、これは只物《ただもの》ではない。確かにこういうものは、もとは生活雑器であろう。しかし、いまは違う。これに匹敵するものを造れる人間がいようとは思えない。この価値がわかる者しか身近に置いてはならない逸品だ。

しかし、受け取らないということは、北里さんのご厚意を足蹴《あしげ》にするのと同じだか

ら、私はありがたく頂戴する。

佐伯はそう言って、掌《てのひら》にほどよくおさまりそうな焼物を受け取り、布で包んで桐箱に入れた。そして、それを虎雄に渡した。

「いま私はこの名品を確かに頂戴しました。頂戴したのだから私のもので、それを私がどうしようとも、私の勝手です」

佐伯はそのあと、笑みを浮かべ、

「これを北里さんに差し上げます。どうか貰って下さい」

と言った。

虎雄は桐箱を両手で持ったまま、どうしたらいいのかわからないといった表情で立ちつくしていたが、

「じゃあ、ありがたく頂戴します」

そう言い、仁志を見やると、今夜から自分の住まいとなる隣家へと戻って行った。

「あれは、どこでどうやって手に入れたのか、あとで彼に訊いといてくれ」

佐伯は仁志にそう言うと、お腹《なか》が減ったよとつぶやいて微笑《ほほえ》んだ。

ご飯が炊けると、仁志は、ポトフのなかの牛バラ肉を縛っていたたこ糸を外し、すね肉よりも少し小さめに切って皿に入れた。

炊きたてのご飯を入れた碗は虎雄が持ち、ポトフの皿は仁志が持って、それを佐伯の家に運んだ。

「まさにスープの冷めへん距離やな」

その仁志の言葉に、虎雄は何も応じ返さなかった。

再び自分たちの家に戻り、小さな和卓を押入れから出して来て、仁志と虎雄は遅い夕食をとった。

「うん、ええ出来や。普通、ポトフにはバラ肉は使わんのやけど、うちのお母ちゃんは、すね肉だけではぱさぱさするし、うま味が足らんからて、あえてバラ肉を入れたんや。タマネギの煮え具合も上々やがな」

仁志がそう言って、虎雄の反応をうかがうと、スープを二、三口飲み、すね肉を食べて、

「めっちゃうまいがな。なんでこんなにうまいねん？」

と虎雄はいやに難しそうな表情で言った。

「俺、こんなにうまいもん、食べたことあらへん」

「さすがに褒め方がうまいなァ。商売柄かなァ」

照れ隠しに、仁志はひやかすように言ったが、炊きたての熱いご飯を四口で食べて

しまった虎雄に驚いた。

「トラちゃん、嚙《か》んでないやろ。嚙んでたら、そんなに早《は》よう食われへんで。うわばみみたいなやつや」

二膳《ぜん》目のご飯を碗に盛り、あの唐津は、自分が初めて買ったものなのだと虎雄は言った。

まだ自分で売ったり買ったりしてはならないと、先生からきつく言われているが、「新田」で働きながら焼物の商いの勉強を始めてから、毎月必ず二万円を預金してきて十年がたったとき、紫野大徳寺《むらさきのだいとくじ》から北西に行ったところにある老舗《しにせ》の料亭が店を閉めることになった。

器にはさして金をかけている料亭ではなかったが、常連客には寺関係の者が多かったので、軸物にはいいものが揃《そろ》っていた。

「新田」は軸物は専門ではないが、どんなものが売り出されるか見てこいと先生に命じられて出向いた。

その料亭の調理場の横の、女将《おかみ》の私室に、あの唐津の盃が置いてあった。

高さ三十センチほどの古い石仏が、女将の私室に祀《まつ》ってあって、唐津の盃は、その石仏に供える水を入れる容器として使われていたのだ。

軸物は、料亭の最も広い座敷に集められて、たくさんの美術骨董《こっとう》店の者たちが、それぞれの思惑を持って品定めしていた。そのなかには、京都で名を知られた鑑定家もいたし、焼物店の目利《めき》きも何人か揃っていた。

この人たちが、唐津の盃を見逃すはずがない。そして女将は、この唐津の凄《すご》さをわかっていない。

自分が、先生の戒めを破ったのは、あとにも先にもそれが初めてだ。

自分の未熟なかけひきなんか、この海千山千の女将にはすぐ見抜かれると思い、正直に、これは幾らで譲ってくれるかと訊いた。

「向こうにいてはる人らに見てもろてからにしまひょ」

と女将は言ったが、すぐに、幾らで買うつもりかと訊いた。

二十万円でどうかと自分は言ったが、女将はやはりこちらの心を見抜いて、四十万円以下で手放す気はないと答えた。

しかし、現金で払ってくれて、領収書が要らないというふうにしてくれるなら、三十万円で売るがと話を向けてきた。

自分の毎月の預金の一年分以上だ。

自分の審美眼が正しいかどうかではなかった。その唐津の盃に、ただ惹《ひ》かれただけだ。

なぜそんなに惹かれたのかの理由や理屈は、あとからついたものにすぎない。薄茶色で肌理《きめ》は粗くなく滑らかでもない。無造作なろくろ使いには、これみよがしなところが一切ないが、微妙ないびつさというか波打ちというか、薄い飲み口のあたりの、目には見えないほどのうねりの美しさには溜息《ためいき》が出た。

盃は、底へ行くほど土の厚味が増していたが、それは小さいけれども頑丈で安定した高台《こうだい》へと極く自然につながっている。

使われている釉薬《ゆうやく》は、表よりも内側のほうが厚くかけてあるのに、それすら控えめで、窯《かま》のなかで火によって自然にできた色むらの模様は、半月とすすきがつつましく寄り添っているかに見えた。

自分の当時の知識でも、その唐津の盃が桃山前期のものだということだけはわかった。

朝鮮から渡って来た多くの陶工は、佐賀県の西部から長崎県の北部へと散って、それぞれの窯を造ったが、多くは渡来人としてその地に根をおろし帰化人となって、日本人妻と家庭を持ち、子をもうけた。

みな名もない陶工だ。そんな陶工のなかに、これほどの盃を、まるで朝飯前の仕事のように生み出した人がいたのだ……。

自分は三十万円の現金を銀行からおろすと、それを料亭の女将に払って、盃を受け取り、アパートに持ち帰った。店では用無しになった幾つかの桐箱があり、自分は気にいったのを数個貰《もら》っていたので、そのなかのひとつに盃をしまった。

その夜は眠れなかった。すばらしいものを手に入れた歓《よろこ》びよりも、先生の命にそむいたことが、次第に取り返しのつかない過《あやま》ちをおかしたという後悔の念となって膨らんでいったからだ。

先生からは、二十年間は自分で売り買いをしてはならないと厳命されていた。二十年間、ひたすら焼物を見て学ぶのだ。

もうよかろうと判断したら、こちらから、そろそろ準備を始めろと言う。そして、十年、自分の力で焼物を揃えて、「新田」で働いて三十年というときに、自分で商売を始めるのだ。これを守れるなら、私のもとで修業させてやろう。

先生はそう言い、自分はそれを誓った。

ああ、これを慢心というのだ。たとえこの盃が名品であったにしても、それは自分の慢心がみつけてきたものなのだ。

ああ、大変なことをしてしまった。自分はもう先生のもとに置いてはもらえない。

どうしたらいいだろう。

頭が変になるくらい思い悩んで、三日後、自分は先生に正直に打ち明け、店の座敷におでこをすりつけて謝罪した。

先生は、その盃を持って来いと言った。そして、自分が桐箱から出した盃を見てから、

「これを、そこの玄関の横の壁に叩《たた》きつけて粉々に割ってしまえ。それがでけへんのなら、この『新田』から出て行け」

と言った。

自分は「はい」と返事をして盃をつかみ、座敷から降りて、それを壁に叩きつけようとした。

すると、先生は、

「もうええ。そんなことをせんでもええ。その唐津に何の罪もない」

と言った。

そして、それは大事にしまっておけと言って許してくれた。

だが、許してくれたと思ったのは自分のほうで、先生は許してはいなかったのだ。

その日以来、先生は口をきいてくれなくなった。

お客さまのところへ行くときもお供をさせてもらえない。お昼ご飯も出してもらえない。よほど必要なとき以外は声もかけてくれない。

これをやれ、あれをやれ、ということ以外の雑用をしていると、お前はなぜそこにいるのかと叱《しか》られる。

どうしていいのかわからず、先生の目の届かないところにいると、お前が近くにいるという気配だけで気分が悪くなると言われる。いても叱られる。いなくても叱られる。

ふたことめには馬鹿《ばか》だの能無しだの、およそ考えつくかぎりの罵倒《ばとう》の言葉を容赦なく浴びせられる……。

あれだけ反省し、謝罪し、命じられるままにあの唐津の盃を叩き割ろうとしたというのに、いったいいつまでしつこく根に持ちやがるのだ、この野郎は。

そのうち、自分のなかには怒りが湧《わ》いてきて、もう店を辞めようとすら思った。

このおっさんは、俺が凄いものをみつけたことに嫉妬《しっと》したのだ。男の嫉妬というやつだ。このての嫉妬は執念深いのだ。

こちらの想像を超えた嫉妬を抱いてしまったからこそ、馘《くび》にはせずに安月給のまま飼い殺し状態にして、いじめつづけるつもりなのだ。そうに違いない。

いったんそんな考えが頭をもたげても、自分のなかの別の心が、いや、先生はそんな姑息《こそく》な小さな人ではないと打ち消す。そのふたつの心のせめぎ合いのようなものが、一年二年とつづくうちに、自分は先生に直接真意を訊《き》きたくなってきた。口をきいてくれないといっても、毎日近くにはいるのだ。その先生の返答次第で、自分は「新田」を辞めるかどうか決めよう。

そう思って、意を決して先生に話しかけようとするのだが、どうしても言葉が出てこない。そんなことを直接訊いてしまったら、その瞬間に、自分と先生とのつながりは永遠に切れてしまいそうな気がするのだ。

冷たく無視されつづけて三年がたとうとするころ、自分のふたつの心のうちのひとつこそが慢心の最たるものだったのだと気づいた。突然、我に返るようにして気づいたのだ。

二十年間は何があろうとも自分で焼物の売り買いをしてはならないという戒めには、修業のための最も肝要な何かが秘められているのだ。

自分はそれを破ったが、深く反省し謝罪した。黙っていればわからないのに、正直に打ち明けた。

先生はそれをよしとしてくれたからこそ、本格的な訓練を始めたのだ。「叱られつづける」という時を与えてくれたのだ。

それなのに、自分は、先生が嫉妬していると考えた。それこそが慢心なのだ。自分のなかの正真正銘の慢心が正体をあらわしたのだ。

自分は心のなかで、先生に深く頭を垂れ、これから先、五年でも十年でも叱られつづけようと腹を決めた。

先生が、三年前と同じように「虎雄」と呼んでくれて、お客さまの家へと伴ってくれたのは、その数日後だった。

それだけではない。これまでは決して触れさせてもらえなかった「蔵」のなかの焼物の管理もすべて託されるようになった。

「蔵」といっても、そう呼んでいるだけで、店の奥の、お客さまをお通ししない廊下の左右にひとつずつある六畳の座敷で、そこの壁には何段もの棚があって、さまざまな焼物を収納してある。

右の蔵、左の蔵と区別して呼ぶ畳敷きの部屋にあるのは、店の所有の品ばかりではない。お客さまからの預かり物もあれば、同業者から借りたものもある。帳簿類の一切もそこに置いてある。

先生は、その蔵へつれて行ってくれて、日々の商品の出入りなどを記すノートを渡

しながら、

「まかせたぞ」

とだけ言った。それ以外は何も言わなかった。

虎雄は、話し終えると、さっきの桐箱《きりばこ》から唐津の盃《さかずき》を出した。

「佐伯さんは受け取ってくれへんやろと思たけど、やっぱりやったなァ。あの人が、この高さ四・六センチ、口径四センチの、桃山前期の唐津の盃を見たときの目は凄かったなァ」

「どんな目ェや？」

と仁志は訊き、盃の真ん中の柔らかな膨らみに見入った。

なんという美しい形であろう、という言葉しか浮かんでこなかった。ここがこうだから品があるとか、わずかに色変わりしていくこの部分に味があるとか、そんな理由づけを並べたてることが愚かしいとさえ思える。

「盃って、もっと浅いもんやてばっかり思てたけど、こういう深さのあるもんも盃なんやなァ」

仁志が言うと、

「手に持ってみィ」

そう虎雄は促し、盃を差し出した。

「いや、そんな恐ろしいこと、ようせんわ」

「持ったら、この盃の凄さがもっと魂に染《し》み込んでくるで」

仁志は、両手でこわごわ盃を包み込むように持ってみた。

「重くもなく軽くもなく、初めて持ったのに、掌のなかに塩梅《あんばい》ようおさまるやろ？」

虎雄は言って、食器を流しで洗い始めた。

「桃山時代ってのは、いまから何年くらい前やねん？」

掌のなかの唐津の盃に見入りながら、仁志は訊いた。安土《あづち》桃山時代と呼ばれるのが、織田信長と豊臣秀吉が天下を取ったころだとは知っていたが、桃山時代がいつから始まるのか……。

この盃が桃山初期の作だとしたら、それは西暦何年くらいなのか……。

仁志の問いに、豊臣家支配の後期から桃山時代に入るらしいが、それがだいたいいつくらいからなのか諸説あると虎雄は食器を洗いながら言った。

「信長が京都の本能寺《ほんのうじ》で死んだのが、天正《てんしょう》十年。秀吉の大坂城築城は天正十一年。秀吉が豊臣姓を名乗って天下を統一したのが天正十八年。秀吉が死んだのが慶長《けいちょう》三年。その翌々年に関ケ原の戦い。それは西暦一六〇〇年」

仕事柄、覚えなければならなかったらしく、虎雄はよどみなく年号を口にした。

「そしたら、豊臣家支配の後期っちゅうのは、いつごろからや？」

「朝鮮出兵くらいからかなァ。それやったら一五九二年やけど、それは六年間つづいたから……。秀吉が小田原の役で北条《ほうじょう》氏を破って天下を統一して、関ヶ原の戦いまでは、たったの十年や。桃山時代の初期というのは、一五九〇年からかなァ。利休《りきゅう》が死んだのは天正十九年、一五九一年」

洗った食器類を布巾《ふきん》で拭《ふ》きながら、虎雄は言った。

「いまは二〇〇八年。四百年くらい前かァ。歴史っちゅうもんの流れのなかでの四百年というのは、長いのか？　短いのか？」

仁志の問いに、虎雄は振り返って、

「なんでそんなことが気になるねん？」

と訊き返してきた。

「この盃が造られたころから、こと焼物に関しては、四百年間でまったくなーんにも進歩してないがな。もうここに極まってしもてるがな。この一個の盃に」

そう言って、仁志は唐津の盃を桐箱に戻し、卓袱台《ちゃぶだい》を片づけ、さてどうやって蒲団《ふとん》を敷こうかと考えた。トイレに行きやすいのは、玄関のほうを枕《まくら》にすることだと思ったが、それだと机をどこかに動かさねばならなかった。

「ヒトシは、たいしたもんや。俺がそのことを思い知るのに、十九のときから十年かかったでェ。ヒトシは、この唐津の盃一個を見ただけで、それがわかったんや」

虎雄が本気で褒めているので、仁志は、三年間も先生の冷たい無視や罵倒の言葉に耐えつづけたトラちゃんと比べたら、自分なんか、この世の中では物の役に立たない軟弱者だと思い、

「俺は一カ月も耐えられへんなァ。一カ月どころか、一週間が精一杯や。ひょっとしたら、三日で『新田』から逃げ出したやろ」

と言った。

いまは徒弟制度というものが社会の根底から崩れていっている、と言いながら、虎雄は段ボール箱の中身の整理を始めた。

「あの伏見の染物屋さんは『染司《そめのつかさ》おかよし』っちゅう有名な老舗《しにせ》で、日本一の技を持ってるねん。社長さんは勿論《もちろん》、凄い技術の染色職人やけど、番頭さんも超一流の職人や。化学染料でなら、出したい色は自在に出せるけど、草木染めは、染料だけでなく、発色させたり、色を布に定着させる触媒までも天然自然のもんを使うから、この色で染めたいと思うて、そのとおりの色を出すのは至難の業や。口で教えて出来るも

んでもないし、数式であらわせるもんでもないし、いろんな花や木の皮を煎《せん》じて、それを試験管とかフラスコのなかで混ぜたら一丁上がりっちゅうわけにはいけへん。その日の天候によっても、色の出が左右されるからなァ。そやけど、この番頭さんの経験と勘は、コンピューターでも割り出せん色の配合を見事にやってのけるねん。何十年にもわたる人間の修業の凄さや。あの番頭さんが染物の世界に入ったのは十七歳。いま五十代半ば」

虎雄はさらに話をつづけようとしたが、そのまま口をつぐみ、シャワーを使ってもいいかと訊いた。

「きょうからトラちゃんの家でもあるんや。いちいち俺の許可を得んでもええよ」

と仁志は言った。

「自分のぶんの家賃プラスアルファを渡しとくわ」

虎雄は財布から一万円札を三枚と千円札を七枚出して、それを仁志に手渡した。

プラスアルファというのは、光熱費や諸々《もろもろ》の支払い分だという。

ありがたい、これも早速あした自分の銀行口座に入れておこう。

仁志はそう言って、机の上のＣＤを片づけた。

大場達矢の家のほうから奇妙な音が聞こえてきたので、仁志は笑った。今夜は西か

らの風が吹いているのだなと思い、

「さあ、始まったぞォ。女体のうめき声が。いつもより遠慮のない弾き方やなァ。大家さん夫婦と一戦始まるかも」

仁志は言って、虎雄に大場達矢のチェロについて説明した。

「この家のなかにまで音が届くことは滅多にないいんやけどなァ」

かすかに口をあけ天井を上目遣いで見ながら、下手なチェロの練習曲に聴き入っていた虎雄は、しばらくすると顔をしかめて、

「なんやねん、あの音は……。さかりのついた猫が四、五匹集まって大合唱っちゅう感じやがな」

と言った。

仁志は、大場達矢について自分が知っていることを話して聞かせた。

有名な漆器店で長く働いたあと、そこの社長の援助で独立したが、店で売るのではなく、漆器職人から直接仕入れたものを小売店に仲介する業者であるほうを選んだ。西京区《にしぎょうく》に小さな事務所を持っていて、毎日バスで通勤している。

妻を亡《な》くしたのは三年前だ。妻は友人たちと温泉めぐりのパック旅行に行く観光バスのなかで死んだ。癌《がん》にかかって手術をしたが、死因は脳出血だった。

友人たちは、よく眠っているとばかり思い込んで、目的地の手前まで気づかなかった。

葬儀のとき、喪主の挨拶《あいさつ》で、どうせ死ぬのなら、温泉につかったあとに死なせてやりたかったと言ってから、参列した人たちが呆気《あっけ》にとられるほどの大声で泣き、その翌日、ケースに入った新品のチェロをかついで帰って来た。

週に二度、北山通りに住むチェロの先生のところで個人レッスンを受けつづけて三年になる。

漆器のことなら、大場達矢の知らないことはなく、文化財級のものも所有しているらしいし、金はしっかりと貯《た》めこんでいるそうだが、ちょっと変人なのだ。

しかし、自分は大場達矢を変人とは思えない。たしかに、いかにも京の街で漆器を商いつづけて三十数年がたつという匂《にお》いは、彼のどこからも嗅《か》ぐことはできない。

商人特有の如才のなさや、口と腹の違いを感じさせず、近所づきあいも放棄していて、夜な夜な下手なチェロを弾きつづけるのだから、変人よばわりされても仕方がないようなものだが、こちらの真剣な話には真剣に応じてくる。

そんなときの大場は、相手の身になって親身に自分の考えを述べるし、ときには辛《しん》辣《らつ》で、極めて現実的であったりする。

仁志が蒲団を敷きながら、そこまで話すと、虎雄は、仁志のオーディオ・プレーヤーのイヤホーンを耳に突っ込み、

「そうはいうても、やっぱり変人やでェ」

と言った。

「あのチェロの音が、隣の大家さんにどんだけ迷惑かがわからんのは変やろ。わかっててつづけるのは、もっと変やがな」

そして、虎雄は、オーディオ・プレーヤーの操作のやり方を教えてくれと頼んだ。

「口直しと違うて、耳直しに、シューベルトの弦楽四重奏曲を聴かせたるわ」

仁志は、ウィーン・コンツェルトハウス四重奏団の演奏を探しだして、再生ボタンを押し、先にシャワーを浴びた。

パジャマに着替えて風呂場《ふろば》から出て来ると、虎雄は自分の蒲団の上に正座してシューベルトに聴き入っていた。大場のチェロの音はやみ、聞き覚えのない人間の声が小路のどこかで小さく響いた。

「大場さんのチェロと比べたりしたら、このフランツ・クヴァルダにあまりにも失礼やな」

そう笑顔で言い、このアルバムは、一九五〇年から一九五三年にかけてウィーン・

コンツェルトハウス四重奏団が、ウィーンのモーツァルトザールという小ホールで演奏したものの録音だと、仁志は虎雄に説明した。

虎雄は、それから二十分ほど聴きつづけてからシャワーを浴び、藍色《あいいろ》の作務衣《さむえ》に似たパジャマ姿で蒲団に戻って来た。

「変わったパジャマやなァ」

「おかよしの社長が、うちの先生に作ってくれはったのを、俺が貰《もろ》たんや。絹を藍で染めてあるねん。これは、洗濯機に放り込んで中性洗剤で洗《あろ》うたらあかんねん」

ほとんど治ったのだが、年に一、二度、腰から尻《しり》のところにかけてアトピー性の炎症が生じることがあり、ときには眠れないほど痒《かゆ》くなると先生に話したら、このパジャマを着て寝てみろと勧められた。

これを着て寝るときは、下着を穿《は》くなと「おかよし」の社長に言われ、そうしてみたら、皮膚炎が起こらなくなってしまった。

虎雄はそう言い、再びイヤホーンを耳に入れて、蒲団にあお向けになった。

仁志は玄関の鍵《かぎ》を締め、部屋の明かりを消した。風呂場の電球で六畳の座敷はほどよい明るさになる。

仁志は蒲団に横になり、そのまま眠ってしまうのなら、音量を小さくしておいたほうがいいと虎雄に話しかけたが、虎雄はすでに寝息をたてていた。

聞こえるか聞こえないかの音量に下げてやって、オーディオ・プレーヤーの画面を見ると、シューベルトの弦楽四重奏曲・第十三番がかかっていた。

「シューちゃんの四重奏曲では俺がいちばん好きなやつやがな」

そうつぶやき、仁志は風呂場の明かりも消して、蒲団にあお向けになった。

欠伸《あくび》がたてつづけに出て、なんだかとても気持ちが落ち着いているのを感じ、仁志は、やはりいちど美奈代に逢《あ》わなければなるまいと思った。

終わるものは、きちんと終わらせておかねばなるまい。お互い、明確な恋情とか愛情というものはなかったにしても、七カ月一緒に暮らしたのだ。

あの美奈代の、いつもしょんぼりしているような、物陰で寂しそうに口を閉ざしているような風情《ふぜい》は、別れる二、三カ月前くらいから重荷になっていたが、俺はその原因となっているものについて思いをめぐらせようとはしなかった。

だから、美奈代の弱々しさと、彼女が造る革製品の堅牢《けんろう》さとの差異までが気味悪く感じられるようになってしまったのだ。

美奈代から連絡がないかぎりは逢う術《すべ》がみつからない。実家は福井県の今庄《いまじょう》という、かつての小さな宿場町だが、美奈代がそこに帰るはずはない。理由は話さなかったが、美奈代は実家を嫌っていたからだ……。

仁志は夜中の二時近くまで眠れなかった。

第三章

背広、ワイシャツ、ネクタイ、靴下、革靴……。どれもみな新品のものを身につけて、坪木《つぼき》仁志《ひとし》は、自分の車を「人間止め」の前に停め、佐伯平蔵《さえきへいぞう》が小路から出て来るのを待った。

道は狭い一方通行なので、うしろから宅配便の車がやって来ると、そのたびに大通りに出て、周辺の一方通行の道を一周しなければならなかった。

もし車が停まっていなかったら、うしろから来た車を通すために近くを一周していると思って「人間止め」のところで待っていてくれと佐伯には言ってあった。

なにもそんなことをしなくても、大通りで待っていてくれればいい。そのくらいは歩けるようになったから、と佐伯は言ったが、仁志は、小路から出たところで佐伯を自分の車の後部座席に乗せたかったのだ。

きのうもきょうも、北里虎雄《きたざととらお》は八時に家を出て行った。携帯電話に設定した目覚まし音で起き、藍《あい》で染めた絹のパジャマ姿のまま牛乳を自分のマグカップに入れて電子レンジで温め、パンの耳にバターを塗って朝食を済ませ、洗顔し歯を磨き、頭髪を整え、背広に着替えて出て行くまで二十分という早技で、その動きを仁志は半分寝ている状態で感じながら、台所の窓からの光を避けて蒲団《ふとん》のなかにもぐり込んでいる。

それはたった二日つづいただけなのに、もう何年にもわたる朝の決まり事のような気がして、仁志は虎雄が出て行ってしまうと寝ていられなくなり、起きてすぐに虎雄の蒲団も押し入れにしまう。

虎雄が自分の蒲団を敷いたままにしていくのは、それを畳んで押し入れに入れようとすると、寝ている仁志の顔をまたぐ格好になるからだという。

人の顔をまたぐというような行儀の悪いことをしてはならないのだと言われて、それは母親の躾《しつけ》かと訊《き》くと、たぶん「新田《にった》」の先生にきつく叱《しか》られるだろうからだと虎雄は答えた。

仁志は、北里虎雄という三十三歳の青年の心には、つねに「新田」の先生という人物がいて、自分の考え方も行動の規範も、すべてそこに照準を合わせているのだと知った。

教えを乞《こ》うということ、修業するということの単純かつ至難な極意を見る気がした。

しかしそれは、虎雄が、職人とか匠《たくみ》の世界と呼ばれる世界に身を置いているからだ。そこでは技を伝授する者と、伝授されようとする者とのあいだに厳然とした師弟関係の存在があるからではないのか。

大企業にせよ中小企業にせよ、社員がひとりか二人しかいない個人商店にせよ、いわゆるサラリーマンと呼ばれる人たちの世界では成立しにくい関係性なのだ。

規模の大小にかかわらず、会社というところには、どうにも尊敬しようのない上司が多い。

上にはへりくだり、下にはいばり、底意地が悪くお天気屋で、手柄は自分のもの、失敗は部下のせい。

自分は、社会に出て以来、ずっとそういう連中のもとで働いて、すぐに愛想が尽きて癇癪《かんしゃく》をおこし、こんなところで辛抱してもどうにもならないと決めつけて見切りをつけ、勤め先を転々としてきたのだ。そのあげくが、このていたらくだ。

自分は、なにか間違った考え方をしてきたのではないのか。すぐに人の欠点に腹をたてるという己の性格を省みることがいちどとしてあったか。それこそ「慢心」というやつではないのか……。

仁志はそう考えながら、車を一方通行の細道に移動させ、再び「人間止め」の前に戻った。仕立てのいいチャコールグレーのジャケットを着た佐伯平蔵が待っていた。

仁志は車から降り、佐伯の荷物をトランクに入れ、

「北白川別当ですね」

と言った。

「そうだ。白川通りを北へのぼっていってくれ。三浦さんて家だ。別当町の交差点から下鴨《しもがも》神社のほうへと曲がるはずなんだ」

佐伯は、それだけは仁志に渡さず、自分で後部座席に置いた風呂敷《ふろしき》包みを膝《ひざ》の上に大事そうに載せ直した。

「いまから逢《あ》う三浦紀明《のりあき》さんは、ぼくのふたりの親友のうちのひとりだ。京都で三浦さんという生涯の友を得たのは、ぼくの大きな幸福のひとつだ。この三浦さんがねェ、ぼくと北里さんを引き合わせたんだよ」

「北里さんをですか？」

仁志は堀川通りへと入りながら、それは北里千満子《ちまこ》の夫であろうと思った。

京都に来て、最初の十日ほどは旅館暮らしをした。別段見たい名所があるわけでもなく、といって一日中旅館にいるわけにもいかず、そこの歳取《としと》った女将《おかみ》に勧められるまま錦市場へ行った。

自由気ままにさせてくれる、こぢんまりとした旅館ではあったが、掃除をするときだけは少しのあいだ外出してくれるとありがたいと言われたのだ。

あまり観光客の行かない、けれども味わいのある庭を持つ小さな寺の名も教えてくれたが、自分は市場というにぎやかなところのほうがよかった。

四条河原町の交差点で信号待ちをしながら、何気なく横に立っている男を見ると、なんだか様子がおかしかった。

春一番が吹いている日なのに、額に汗の粒が噴き出ていて、みぞおちの上のあたりを手でさすり、息遣いも苦しそうなのだ。

信号が青に変わったので、そのまま行きかけたが、妙に気になって振り返ると、男はいったん歩きだしたが、交差点の中程で立ち止まってしまった。

体の具合が悪いのだと思い、自分はあと戻りして、男に声をかけた。ちょっと胸が苦しくて眩暈《めまい》がするという。

自分は、とにかくここは交差点の真ん中なので、引き返すか渡ってしまうかのどちらかにしようと男に言って、体を支えて一緒に信号を渡り切ると公衆電話を探した。救急車を呼ぼうと思ったのだ。携帯電話なんかなかった時代だ。

男は、ときどきこういう状態になるが、しばらくじっとしているとおさまるのだという。

いや、病院に行かなければ駄目だ。病気を甘く見ると取り返しのつかないことになる。自分はそう強く言った。

すると、男は、病院ならそこにあると、通りの向こうを指差した。大通りから北へ入る道を少し行ったところに内科の医院があるという。

それで、自分は男を支えたまま、その医院へと行った。錦市場の二、三十メートル手前にあった。やっと辿《たど》り着いたときには男は息もたえだえで、他に診察を待つ患者が数人いたが、医者はすぐに診てくれた。

男と医者とは顔見知りだったらしく、五分もしないうちに妻君らしい女が息せき切って走って来た。

家族が来たのだから、もうついていなくてもいいだろうと思い、自分は医院から出て、錦市場をぶらつき、足の向くままに界隈《かいわい》の小路を歩いた。

京都の町は、この独特の小路で出来ているのだとそのときわかった。

ありとあらゆるところに小路があり、そこに人々が生き、それらを神社仏閣が取り囲んでいるといっても過言ではないと知った。

べんがら格子《ごうし》の町家がつづく小路に小さな周旋屋があった。

ガラス窓からなかを覗《のぞ》くと、事務所のコンクリート敷きの床に置かれた座蒲団の上でブルドッグの子犬が腹這《はらば》いになっていた。その子犬と目が合った。

もし妻がここにいたら、うわァ、可愛《かわい》いと言って、なかへ入って行って子犬を撫《な》でさすることだろうと思った。妻は犬が大好きだったのだ。

そのとき、どういうわけか、京都のどこかの小路で二、三カ月暮らしてみようかと自分は考えた。

妻も死んだ。子も死んだ。自分には何もない。巣というものも必要ない。会社も我《わが》儘《まま》を言って辞めさせてもらった。どこに住もうが自由なのだ。よし、この京都のどこかの小路の奥につましい家を借りよう。しばらくそうやって生きてみよう。

物事には必ず起因というものがある。始まりといってもいいかもしれない。

自分は、京都でしばらく暮らしてみようと考えたのは、あのブルドッグの子犬と目が合ったからだと思っていたが、そうではない。

まあ、それはともかく、自分はその周旋屋に入り、借家を探していると言った。けれども正直に、二、三カ月暮らすだけだとつけ加えたのだ。途端に、周旋屋は愛想が悪くなり、それでは家主がいやがるだろうと言った。

確かにそうだろうなと思い、自分は子犬の腹を撫でて周旋屋から出た。似たような小路に似たような町家が並んでいて、いったいどっちへ歩けば四条河原町の交差点へ行けるのかわからなかった。

自分はその日、ドイツのデュッセルドルフで買った濃い緑色の防寒コートを着ていた。ドイツでは珍しい色ではないが、当時の日本では、いささか目立つ色のコートだった。

誰もが着ているような防寒コートだったら、男の妻君は、夫を医院に伴ってくれたゆきずりの人間をみつけだせなかっただろう。

あちこちの小路を行ったり来たりしているうちに、自分は錦市場の二百メートルほど北側にいることがわかってきた。

春一番といっても冷たくて、自分は喫茶店で熱いコーヒーでも飲みたくなり、とりあえず河原町通りへ出ることにして歩きだした。

うしろから呼び止められた。男の妻だった。三浦紀明さんの奥さんの与喜《よき》さんだ。

「おたくさんは、さっき、うちの人を河原町の交差点から病院へつれて行ってくれはったおかたやおへんか?」

そう訊かれて、嘘《うそ》をつくわけにもいかず、確かにそうだが、よくわかりましたねと自分は応じ返した。

私があなたのご主人をこの医院につれて来た者ですとはひとことも言わなかったどころか、医院では言葉も交わさなかったからだ。

与喜さんは、濃い緑色のコートを着た人だと亭主に教えられたが、どこをどうやって捜せばいいのかわからず困っていたという。

「心房細動っていう発作で、命に別状ないんやけど、設備の整った病院で精密検査をしたほうがええて言われて、いま店の車でとりあえずうちの人を家につれて帰って横にさせて。そしたら、二階の窓から、緑色のコートを着た人が見えましてん。慌《あわ》てて、あとを追って来たんです」

与喜さんはそう言い、家でお茶でも飲んでいってくれと誘った。

それが、自分と三浦紀明との出会いだ。

「まさか、こんなに長いおつきあいの始まりだったとはねェ」

佐伯平蔵がそこまで喋《しゃべ》ったとき、車は白川通りに入った。

「三浦さんのおうちに着く前に、もう少し彼とのことを話しておきたいなァ」

その佐伯の言葉で、仁志は、確かこのあたりを左に行ったところに店の敷地よりも広い駐車場を持つ喫茶店があったなと思った。ケーキ屋で、店の奥に喫茶室があるのだ。

「ケーキとコーヒーなんていかがですか？　おいしい店やったって記憶があります」

「うん、そこに行こう」

この税理士事務所の建物のところを左に曲がるはずだと見当をつけて、仁志は喫茶店を探した。

「あっ、ここです」

仁志はケーキ屋の前で車を停め、後部座席をあけて佐伯を降ろした。佐伯はステッキを使わずに店へと入って行った。

「京都の町には、こういう奥まったところにおいしい店が隠れてるね」

仁志が駐車場に車を停めて、店の奥のテーブルのところに行くと、佐伯はそう言って、封筒を出した。今回の旅で使うであろう費用だという。

「三浦さんとお逢いしたあとは四日市市に直行ですね。四日市のホテルは予約してきました」

仁志は言って、封筒の中身を確認した。三十万円入っていた。

多いなと思い、

「四日市からどこへ行く予定ですか？」

と仁志は訊いた。

「松江だ」

「えっ？　松江って、島根県の松江市ですか？」

「そうだ」

「四日市から松江へ直行ですか？」

それはあまりに遠いのではないか。伊丹《いたみ》空港まで車で行き、そこから飛行機で松江に向かって、出雲《いずも》空港でレンタカーを借りるのが効率的だと思う。

仁志が自分の考えを述べると、

「効率？　何のための効率だ。きみは何のために効率的であることを選ぶんだ」

佐伯は、そう言って仁志の目を見た。

ほんの一瞬であり、鋭く睨《にら》みつけるといった目ではなかったが、仁志は、自分のすべてを見通されたような気がして、言葉が出てこなかった。

「ぼくは車で行くと決めたんだ」

「はい、余計なことを言って申し訳ありません。以後、気をつけます」

仁志は、封筒を背広の内ポケットにしまい、佐伯がワゴンで運ばれて来た十幾種類のケーキのなかから注文するものを選ぶのを待つあいだに、自分の、無意識のうちにらくをしようとする習慣に気づいた。

四日市から松江までがどれほど長いドライブか、佐伯はちゃんとわかっているのだ、と。

あえて車で行こうとするには、それなりの考えがあるのだ。佐伯がそうすると決めたのだから、俺は言われるままに車を運転すればいい。それがいま自分に与えられた仕事なのだ。

俺がいま気づいた自分の欠点は、身にそなわった悪癖といってもいいが、それと同じようなものは探せば幾らでもある。

昔、アルバイト先の工場の熟練のプレス工に、お前はいつもひとこと多いか少ないかのどちらかだと指摘されたな。あのときは、偏屈な職人のじじいがえらそうに言うなと腹が立ったが、五十年近く小さな町工場でプレス機を使って物を造りつづけてきた男は、じつに適確に俺という人間を言い当てていたのだ。

そんな、どっちにしても黙っているほうがいい言葉を使うよりも先に体を動かせ。

あの老プレス工は、そう教えたかったのであろう。

俺は、もう二度と、自分の横着な心を屁理屈《へりくつ》で固めた言い訳で誤魔化したりはしないぞ。まず、やるべきことをやるために体を動かすのだ。自分で自分の値打ちを下げていくのは、もうやめる。

そのために、まずふたつのことを肝に銘じる。横着をしない。いつもひとこと多いか少ないか、という愚かさから脱却する。このふたつだ。

そう決心しながら、仁志はコーヒーを飲み、佐伯が話のつづきを語りだすのを待った。

「きみの作ったポトフはねェ、店に出してお金を取れるよ」

と佐伯は言い、小さなミルフィーユを食べた。

「肉に、香味野菜や香辛料がじつにうまく沁《し》み込んでいる。野菜に肉のうまみが沁み込んでる。あれは一流のポトフだ。感心したよ」

「じゃあ、月にいちど作ります」

「そうかい。じゃあ、ぼくもたったひとつの得意料理を月にいちど作ってご馳走《ちそう》するよ、きみとトラちゃんに」

「どんな料理ですか?」

「ドイツで暮らしてたときに、アパートの隣の部屋の奥さんに教えてもらったんだ。卵料理だ。卵を十個。ホワイトアスパラガス。チェダーチーズ。ハム。みじん切りしたパセリ。これを何層にも積み重ねて焼くんだ」

「卵を、……十個もですか?」

佐伯は少し微笑《ほほえ》み、もう長いこと作っていないから、フライパンからこぼれそうになっている具材を上手にひっくり返せるかどうか自信がないと言った。

そして、車中での話のつづきを始めた。


あまりに三浦与喜さんに勧められて、自分は細道を西へと歩き、三浦乾物店と看板が掛けられている家に入った。

狭い事務所には、干した昆布やわかめや、かつお節や椎茸《しいたけ》の入っている箱が積み上げられていて、店の者にしかわからない符丁が書かれた大きな黒板があり、その横の棚に白い子猫がいた。

二階が住居らしく、与喜さんは階段をのぼって行った。すぐに三浦紀明さんが降りて来て、事務所の奥の八畳の座敷に案内してくれた。そこは客と商談をするための応接室として使っていたが、さらにその奥に台所があり、京都の町家では「おくどはん」と呼ばれる釜《かま》が見えた。

どうか二階でお休みになっていてくれ、すぐに失礼するからと自分は言ったが、三浦紀明さんは、心臓の動きは嘘のように元に戻ってしまったと人なつこい笑顔を向け、机の抽斗《ひきだし》から自分の名刺を出した。

心房細動という病気については、自分は多少だが知識はあった。当時、まだ健在だった母の持病だったからだ。

それで、母の症状とか、発作が起きたときの対処法とかを話し、出されたお茶を飲み、栗羊羹《くりようかん》を食べて、失礼しようと立ちあがり、

「さっき入った周旋屋にブルドッグの子犬がいました。三浦さんのところにも子猫がいますね。きょうは、子犬や子猫に縁のある日です」

と言った。

すると三浦さんは、失礼だが、家か何かをお探しなのかと訊《き》いた。

そのとき、なぜ自分が正直に理由を説明したのか、どうもよくわからない。つまり、自分と三浦紀明さんは、初めて逢《あ》った瞬間から、うまが合ったというしかない。

三浦さんもそのとき四十歳になったばかりで、子供がふたりいた。

心当たりがあるから、いま泊まっている旅館を教えてくれと言われ、自分はそれを教えて、三浦乾物店を辞した。

自分が逗留《とうりゅう》していたのは、祇園《ぎおん》の歌舞練場の裏手にあって、看板がなければ少し大きい町家にしか見えず、客室も四つだけの、初老の女将がほとんどひとりで切り盛りしている旅館だった。

夕刻になると、いまでいうパートのおばさんがやって来る。旅館で料理を食べたいと客が頼んだときには、料理人が出張してくるが、そうでない場合は近くの仕出し屋からの出前だ。

一見《いちげん》の客は取らず、幼児づれの客はお断り。ほとんどは商用で京都にやって来る常連ばかりで、自分は日本法人の会社を立ち上げる際に世話になった会計士に紹介してもらったのだ。

三浦さんは、翌日の昼過ぎに、店のライトバンを運転して訪ねて来た。きのうとは違って、生気潑剌《はつらつ》としていた。午前中は、紹介された大きな病院に行って精密検査を受けたという。

検査はあしたも受けるが、二種類の薬を貰《もら》ったので、もう大丈夫だと言い、まず最初に下京区の小路の奥にある木造平屋の借家に案内してくれた。つまり、いま住んでいるあの家だ。

家主の桜井淳夫《さくらいあつお》さんは、二年ほど三浦乾物店で働いていたが、代々の家持ちの娘と結婚し、婿《むこ》養子となったのを機に辞めたのだ。

当時、桜井家は、下京区だけでなく、中京区に十軒、上七軒の花街の北側に八軒、貸家を持っていた。

そっちのほうの空き家も見たらどうかと三浦さんは言ったが、自分はひと目で、あの家が気にいってしまった。

とにかく三十五年前だ。法衣店の裏側の五軒にもそれぞれ住人がいたし、家もまだ古くなかった。住人たちの気質も穏やかそうだったし、あの妙な形の小路のいちばん奥というのも、そのころの自分の精神状態には都合が良さそうだった。なによりも、二、三カ月だけでもいいと家主がこころよく承諾してくれたのだ。

家財道具などひとつもない。妻や子にまつわる思い出の品もない。なにもかも、火事で、たったの三十分ほどで焼けてしまったからだ。


仁志は、火事で？　と思わず訊き返した。

「うん、火事だ。思いもかけない事故が火事につながったんだ。冬の乾燥した日がつづいてて、夕方で、女房は天麩羅《てんぷら》を揚げてた。そのとき、外で事故が起こって、黒塗りの高級乗用車が、ちょうど台所のところの壁にぶつかって来た。スピードは出ていなかったから、どしんという音と、ちょっと家が揺れた程度だったろうって警察は説明してくれた。しかし、女房はびっくりして、ガスの火を消さないまま、玄関から表に走り出た。そしたら、家の垣根を突き破って、木造の家にぶつかってる車の運転手を外に出そうと、身なりのいい老人が焦《あせ》ってた。運転中に意識を失った、急病らしい、救急車を呼んでくれないか。その老人の言葉で、女房は家のなかに走り戻った。そしたら、天麩羅油に引火した火が猛烈な勢いで天井に燃え移ってた。二歳の息子は二階で寝てる。女房は火をかいくぐって二階へあがり、息子を助け出そうとした。二階の窓から飛び降りることも考えたはずだが、階段から噴き上がってくる煙を大量に吸ったんだろう。息子を抱いたまま動けなくなった。……まあ、これは消防署と警察の推理だけどね。大手の不動産会社の社長の車を運転してた運転手はクモ膜下出血を起こしてて、その晩に死んだよ」

と佐伯は言った。

「佐伯さんがお幾つのときなんですか？」

仁志の問いに、三十九歳になってすぐのときだと佐伯は答え、

「女房は三十三だったよ。ドイツでおこした会社が軌道に乗り、日本法人の設立をまかされ、その経営にやっと目処《めど》が立って、さあ、いよいよこれからだってときだったよ」

と言い、コーヒーをもう一杯注文した。

下京区のあの家で暮らすようになると、三浦さんはあれこれと心遣いをしてくれて、四十歳のやもめの生活に不自由はないかと、しょっちゅう訪ねて来て、たまに行きつけの居酒屋にも誘ってくれるようになったが、この佐伯平蔵という奇妙な男について詮索《せんさく》はしなかった。

なぜこの佐伯は、四十にもなって妻や子がいないのか。なぜ縁もゆかりもない京都でひとり暮らしを始めたのか。これまでどんな仕事をしてきたのか。生活費はどうしているのか……。

人は親しくなればなるほど、相手の来歴を多少なりとも知りたいと思うものだ。しかし、三浦さんはそのことにはいっさい触れようとはしなかった。

そうしているうちに、一カ月がたち、二カ月がたち、自分と三浦さんとは、何の遠慮も屈託もなく言いたいことを言い合える仲になっていった。

そして自分は、三浦紀明というおない歳《どし》の乾物屋が、幼少時からどれほど苦労を重ねてきたかを知った。

三カ月がたとうとしたころには、自分は、あと半年ほどは京都で暮らそうと思い、その半年がたつと、来年の京の桜を見るまで、この小路の奥にいようと考えを変えた。

そのころには、自分は三浦さんを「ノリさん」と呼ぶようになり、三浦さんも「ヘイさん」と呼んでくれるようになっていた。

年の瀬の二十九日に、正月用の食料を買おうと思って、昼の一時ごろに錦市場へ行ったが、あまりの人の数と、歳末の商売に血まなこになっている各商店の繁忙さに気《け》圧《お》されて、人混みに弾《はじ》き出されるように近くの小路へと出ると、自分は他に行くところもなく、三浦商店の事務所に入った。暖をとらせてもらうだけのつもりだった。

三浦商店も忙しいことだろうし、ふたりの従業員もノリさんも、出たり入ったりで、事務所にはいないときのほうが多いにちがいないと思ったが、ノリさんは自分の机であちこちに電話をかけまくっていたらしく、灰皿には煙草《たばこ》の吸い殻が山盛りになっていた。

心房細動の持病をかかえて以来、ノリさんは煙草をやめてしまっていたので、これは何かあったなと察して、自分は奥さんが淹《い》れてくれた茶を飲んだら早々に辞すつもりだった。

たぶん、それが最後の頼みの綱の相手であったらしい電話を切ると、

「あかん、これは買うなっちゅうことやなァ」

とノリさんは言った。

そのノリさんの言葉で、どうやら金策で苦しんでいる様子ではあっても、三浦商店

の存亡に関わる種類のものではないのだとわかった。

それで、自分は、どうしたのかと訊いた。私事に立ち入ったのは初めてだった。

ノリさんは空になった煙草の箱を捻《ひね》りながら、中学を卒業してから十八年間奉公した乾物店が、いま手持ちの在庫品のすべてを仕入れ値の半分で売りたがっていると説明した。

とにかく、きょうあすにも現金が欲しくて、朝一番に電話で頼み込んできた。その在庫品はどれも最上級のものばかりで、半値となれば、乾物屋ならどこでも喉《のど》から手がでるほど欲しいが、量が多い。

かつての自分の奉公先は、よほど追い詰められたのだ。何軒かの同業者に小分けで売る余裕を失《な》くしてしまって、在庫のすべてを現金で買ってくれるなら、半値どころか、さらに安くしてもいいと言っている。

しかし、きょうは十二月の二十九日だ。銀行は仕事納めだし、融資を申し込んでその翌日に支店長の決裁がおりるという機構ではない。

心当たりのところに頼んでみたが、町の金貸しがふっかけてくる金利はあまりにも高くて、そんな金を借りるのは自分の商売のやり方に反する。商売には商売の道というものがある。自分はその道から外れてまで儲《もう》けようとは思わない。

かつて世話になった奉公先の一家を助けてあげたいという思いもあって、朝から金策に動きつづけたが、あきらめるしかない……。

ノリさんは言って、

「煙草を吸い過ぎて、なんや気持ち悪いわ」

と顔をしかめた。

自分は、その在庫品がどのくらい価値のあるもので、どのくらいの期間でさばけるのかを説明してもらったあと、

「幾らあったら、三浦商店がそれを手に入れられるんだい？」

と訊いた。

金額は五百万円と少しだったが、きょう中に現金を持って行くと言えば、四百万円で手を打つだろう。

ノリさんはそう言った。

「ぼくがその四百万円を貸すよ。それは絶対に買うべきだ。いまから銀行に行くから、車で乗せてってくれよ」

驚き顔で、しばらく黙り込んでいたが、

「いや、ヘイさんから金を借りるなんてことはでけへん」

とノリさんは辞退した。自分は笑いながら、儲かったら分け前をはずめと言った。自分も、異国で、社長とたったふたりで会社をおこし、現地の人を雇い、ヨーロッパ各国に製品を売るために悪戦苦闘の日々をおくった人間だ。

いまのヨーロッパではない。四十年前なのだ。人種差別もあったし、資金繰りのためにその国の銀行からどうやって信用を得ていくかも学ばなければならなかった。

そうやって、いつのまにか培《つちか》われた商売の勘というものが、この大量の上質な乾物を借金してでも買うべきだと即座に判断させたのだ。しかもノリさんは、その品物をすみやかにさばく算段をつけている。

自分は、茫然《ぼうぜん》としているノリさんに、急ぐようにと言った。銀行が閉まってしまうからだ。

あのころの五百万円は、いまなら幾らくらいの価値があるだろうか。喫茶店でコーヒーを飲むと百五十円くらいだったと記憶している。

自分はノリさんの運転する車で銀行へ行き、金をおろして、そのまま大阪の上本町《うえほんまち》へと向かった。

大阪市内に入ったあたりの公衆電話からノリさんは相手に、いまから現金を持って行くが四百万円しか調達できなかったと言った。それで品物を全部売ってくれるなら、あと三十分ほどで渡せる、と。相手は了承した。

自分は、ノリさんがその乾物屋の四代目社長と話しているあいだ、上本町の商店街にある喫茶店で待っていた。その四代つづく老舗《しにせ》の乾物屋と売買契約を交わし、現金を渡し、京都に帰って来たのは六時前だった。

事務所に帰ると、ノリさんはすぐに借用書を作成した。完済の際に、双方の話し合いで礼金の額を決めるという一項を書き加えた。

ノリさんが、四百万円で買い取った昆布、わかめ、干し椎茸、かつお節等々は、二カ月ですべて売れて、七百万円近い利益を得ることができた。

ノリさんは利益の半分、三百万円を礼金として受け取ってくれという。自分は、それは多すぎると断った。そんな礼の仕方も商売の道から外れている、と。

自分は高利貸しではない。四百万円を貸して、元金も含めて七百万円も受け取るわけにはいかないとノリさんに言った。

結局、押し問答の末に、自分は礼金百万円を受け取ったが、ノリさんは残りの二百万円を新しい口座を作ってそこに預金した。

自分はそのことをしばらく知らなかった。

京の桜が散り、葉桜の季節が訪れ、自分もいつまでも世を捨てたような生活をつづけているわけにはいくまいと考え始めたころ、商売をさせてみたい女がいるのだがとノリさんが相談をもちかけてきた。

男が女に商売をさせるために一肌脱ぐといえば、その間柄はおよその見当はつくが、話を聞いてみると、どうもそういう関係ではなさそうだった。

女は四十歳。長年、木屋町《きやまち》の小料理屋で働きながら、ふたりの子を育ててきた。小料理屋ではずっと下働きで、仲居兼皿洗いといった扱いだったが、たまに料理人がいないときには簡単なつき出しを作る。それが、その店の板場を長年仕切っている板前よりもはるかにうまい。

板長が作る料理を目で覚えて、いまでいう京料理のレシピをノートに書きつけて、それは七冊に及ぶという。

女は、料理人になろうとして、そんなことをしていたのではなく、ただ単純に料理が好きだったのだ。

酒癖の悪い博打《ばくち》好きの亭主と別れたのは三十五歳のときで、それ以後、小料理屋で働き始めたが、ノリさんが自分の店を持ったころに、知人の紹介で、ノリさんが借りている古い木造の倉庫の二階で暮らすようになった。

ノリさんが、ふたりの幼い子をかかえて苦労している女に、倉庫の二階を、いわば又貸ししたことになる。

さまざまな種類の乾物を保管している倉庫は、雨漏りと泥棒が怖い。いい具合に二階には、かつてそこで暮らしていた人の部屋と台所とトイレがある。

ノリさんは大家の許可を得て、ふたりの従業員のどちらかに、倉庫番を兼ねて住んでもらおうと思っていたが、ふたりとも年取った親をかかえていて、それは無理だったのだ。

三浦商店の二階はノリさん一家の住まいだったが、当時は奥さんの両親が同居していて、倉庫の二階を住居にするわけにはいかなかった。

まあそういういきさつで、ノリさんの奥さんとその女とは親しくつきあうようになった。

女の名は赤尾月子《つきこ》さんという。ノリさんの奥さんは、月子さんとのつきあいが深まっていくうちに、とても料理がうまいことを知ったが、もうひとつ気づいたことがあった。

それは、月子さんが金銭に潔癖な人だという点だ。

料理のうまさは、本人の感性もあるにしても、母親の躾《しつけ》の賜物《たまもの》であろうとノリさんの奥さんは思っていたが、やがてそうではないのだと気づいた。

あるとき、倉庫の二階を訪ねた際に、月子さんが板長の仕事を盗み見てノートに書き記したレシピがたくさんあるのを知った。

これをすべて熟練の料理人から直接教わったのではなく、接客をしたり、洗い物をする合間に目で覚えたのか……。

ノリさんの奥さんは感心したが、そのときは、真面目《まじめ》で勉強熱心な人だなと思った程度だった。

しかし、月子さんが休みの日に自分や幼い子のために作った料理をたまに三浦家に持って来てくれることがあって、それをおすそわけしてもらったときに、その腕前とおいしさに驚いてしまった。

月子さんが目で見て覚えた料理は、伝統的な京料理だけでなく、従業員のための「まかない料理」も含まれていた。そのなかには和風のカレーライスとか、スパゲッティ料理とか、野菜や肉の切れっぱしを使った卵料理とかもあった。

それがまたじつにおいしかった。

月子さんのふたりの子はまだ幼くて、夜、母親が勤めに出ているときに火遊びでもしたら大変だし、どんな不測の事態が起こるかもしれない。

それを案じて、ノリさんの奥さんは、しょっちゅう倉庫の二階を訪ね、月子さんの子供の面倒を見てやったりしたが、台所の隅にいつも封筒が置いてあるので、ある日、その中身を覗《のぞ》いてみた。

なかには、幾つかに小分けした金が入っていて、「牛乳代」、「光熱費」とか書いた紙が入っていた。「田代さんに立て替えてもらった二百三十円」、「岡田さんに借りた千二百円」と書かれたものもある。

「三浦さんに二十円」という字を見て、ノリさんの奥さんは、それがどんな二十円なのかを思い出せなかった。

月子さんが休みの日に、その二十円を返しに来て、そういえば四日ほど前に一緒に市場へ買い物に行ったとき、千円札しか持っていなかった月子さんに十円玉をふたつ立て替えたなとやっと思い出した。八百屋の青年が釣り銭を出すのを面倒臭がって、細かいものはないかと言ったからだ、と。

ノリさんは、そんなことを話してから、錦市場から南へ一筋行ったところにあった喫茶店が店を閉めるのだが、店舗は店主の持ち物で、いま借り手を探していると言った。

「あの月子さんなら、安うてうまい気楽な店を作れると思うねんけど、資金はないのや。たいそうな店を出すわけやあらへんけど、やっぱりある程度のまとまった開店資金は要るし、当座の運転資金もないとなァ。そやけど、銀行が貸してくれるとは思えんし、町の高利貸しに借りるのは危ない。なァ、ヘイさんが受け取ってくれへんかった二百万円のなかから百万円を貸してあげてもええやろか。そしたら、月子さんはちゃんと商売をやっていけると思うんや」

自分は、ノリさんのその言葉にびっくりした。あの二百万円が別口座に預金されていたとは思いも寄らないことだったのだ。

あれはノリさんの金だから、ぼくの許可を得る必要はない。ノリさんが好きなようにすればいい。

自分がそう答えると、ノリさんは、小商いを始めるためのほんのわずかな金さえあれば、ささやかながらも商売ができるという人はたくさんいるが、そのほんのわずかな資金すら貸してくれないのが、この世の中というものだと言った。

死んだならたった一分《いちぶ》というけれど、生きていたらば百もくれまい、と都都逸《どどいつ》だったか何だったかにあるが、まさにそのとおりだ。

あいつ、たった一分の金で川に身を投げて死にやがって……。ちょっと俺に言ってくれたら用立ててやったのに。

そんなやつにかぎって、百文も出さない。

ノリさんはそう言って苦笑し、自分の幼少時からの来し方を語った。ノリさんは、七歳のときに母を、十三歳のときに父を亡《な》くし、しばらく親戚《しんせき》に世話になったあと、中学卒業と同時に、大阪の上本町にあった乾物屋に住み込みの店員として働き始めた。一生、自分で商売なんかしないぞと誓っていた。

その理由は、父親の商売における苦労を、これでもかと見つづけたからだ。

ノリさんの父親は工務店を経営していたが、大きな工務店の下請けの、さらに下請けといったところで、その大きな工務店も、いまでいう大手ゼネコンの下請けの下請けの、さらに下請けだった。

ノリさんの記憶にある父親は、絶えず金策に走り廻り、少ない従業員の賃金の払いもままならず、死ぬ前の三年間は、もう商売どころか、人生からも逃げたといった風《ふ》情《ぜい》で、ただ借金取りに謝りつづける日々だった。

だから、ノリさんは、商売というものは恐ろしいものだ、決して手を出してはいけない、と己に言い聞かせたが、二十年近く勤めたころ、三代目の社長から独立を勧められた。

そのころ、ノリさんは歳《とし》は若いが、店の商売の要をすべて摑《つか》んでいて、実質的には大番頭として店を取り仕切るまでになっていた。

だが、あまりに仕事のできる大番頭に他の従業員も従うようになると、早く息子を四代目として継がせたい社長は、ノリさんが邪魔になってしまった。

独立を勧める社長の本意を知っていたノリさんは、暖簾《のれんわ》分けというていのいい口実で自分の店を持たざるを得なくなった。その社長が口添えしてくれなければ、仕入れもままならないし、銀行も開店資金を融資してくれないからだ。

新しい店をおこすことは、開店資金さえあれば、さして難しくはない。だが、大変なのは、それからなのだ。

ノリさんは多くは語らなかったが、この佐伯平蔵という男と知り合ったころは、社長に義理立てして独立したことを悔いるほどに行き詰まっていた。

だから、もとの勤め先の、跡を継いだ四代目からの救いを求める一本の電話は、まさに起死回生の申し出でもあったのだ。

男よりも女のほうが商売に向いているような気がするとノリさんは言った。

女は我慢強い。一気に大儲《おおもう》けをもくろんだりしない。分相応に、自分の力量のなかで歩いていく。そしてじつは男よりも底力がある。勇気がある。やると決めたときの勇敢さと思い切りのよさは、男は到底敵《かな》うものではない。そしてなにより、あの赤尾月子は金銭に潔癖だ。

ここは、その人間を測る重要な物指しとなる。

努力家で、金銭に潔癖で、人の悪口を言わず、人品骨柄に卑《いや》しいところがなく、少ない給料のなかから月々預金をして、いつか小さいながらも自分の店を持ちたいと念じているが、ふたりの子を育てるのに精一杯で、預金はいっこうに増えていかない。

錦市場の界隈《かいわい》、とりわけ南側は、四条河原町に近くて、商業地としては京都では一等地といってもいい。店を閉める喫茶店は、一等地よりも少し奥まったところにあるが、よく繁盛《はんじょう》していた。店主は歳を取ったうえに病気をして、跡取りもないので店を閉めざるを得なくなっただけなのだ。

もし、この店を借りて何か商売をするとしたら、どんなことをやりたいかと赤尾月子に訊《き》いたら、スパゲッティ料理専門の店を出したいという。

そして、自分が考案したソースを使ったスパゲッティ料理を作ってくれた。

茹《ゆ》でたスパゲッティをバターで炒《いた》め、そのソースをかける。ソーセージ・スパゲッティなら、そこにソーセージを載せるし、オムレツ・スパゲッティなら、オムレツを載せる、といった具合だ。

このソースが独特の味で、少しオレンジ色がかった茶色の、じつにうまいソースだ。

四条河原町ではたくさんの人が働いているし、いわば京都の中心でもあって、若者たちや家族づれが集まってくる。あのスパゲッティは必ず当たる。ヘイさんも食べてみてくれ。これはうまいと納得することであろう……。

もとより自分は、あの金はノリさんが儲けたのだから、どう使おうがノリさんの自由だと思っていたので反対はしなかったが、ひとつだけ忠告めいた口出しをした。

それは返済方法についてだ。無論、金の貸し借りをするのだから、借用書を作るのだが、そこに明確な数字を示す金利というものを書くなという点だった。

こちらは金貸しで儲けようなどとは思っていなくても、利子を取らねばならない。なぜなら、無利子の借金というものには、借りた側はいつのまにか責任感を失《な》くしてしまうからだ。それは、働くことへのモチベーションに影響を与える。ほんのわずかでも利子を課す。

だがそれを借用書に明記すれば、厳密には、無届けで金融業を行っているということになる。

その赤尾月子がいかに誠実で正直であろうとも、いつどのように魔が入って来るかわからない。人間の心ほどうつろいやすいものはないのだ。

あとあと禍根《かこん》を残さないためにも、利子は払ってもらわなければならないし、それを借用書に書き入れることはできない。そこのところをどうするのか。

ノリさんは一日考えて、返済は開店して三カ月後から毎月二万円とした。もっとたくさん返せるときは、三万円でも四万円でもいい。完済時、もしくはその後六カ月以内に礼金を支払ってもらうが、それは随意であって金額は定めないし、こちらから幾ら礼金を払えとは要求しない。

よし、これでいいだろうということになって、ノリさんは赤尾月子さんに百万円を貸した。

自分もノリさんも、赤尾月子さんが第一号となるとは考えもしなかった。わずかな資金があれば自分で商売ができる女に、金を貸してあげた第一号という意味だ。

この三十五年間で、金を貸してあげた女は二十五人。完済して、心のこもった礼金も払ってくれた女は二十人。

健康を害して働けなくなったり、致し方のない理由で商売をつづけられなくなった女がふたり。あとの三人は、まったく返す気がない。

男に金を貸したのは、北里千満子さんのご主人だけだが、あれも千満子さんが三十二年間かかって返してくれた。

完済ではないが、あれは、残りはもういいとこちらから終わりにしたのだ。

佐伯平蔵は、語り終えると、喉《のど》が乾いたらしく水を飲み、

「こんなに喋《しゃべ》ったのは、ひさしぶりだよ」

と言って微笑《ほほえ》むと腕時計を見た。

「車を廻しましょうか」

仁志は、喫茶店のレジへと行きかけた。その仁志の肩を軽く叩《たた》き、佐伯は微笑を消して見つめながら言った。

「ぼくとノリさんが貸した金を、この三人の女から、きみが取り返しなさい」

仁志も佐伯の目を見つめた。目をそらすことができなかった。言っていることの意味はわかったが、その真意を汲《く》み取れなかったのだ。

俺に、見も知らない三人の女から、貸した金を取り返してこい、だと？

冗談ではない。俺にそんなことをしなければならない義務がどこにある。

いや、義務などという問題以前に、俺は借金の取り立てなんか大嫌いだ。最も不得手な役割であると同時に、最も不向きなことなのだ。そんなことは死んでもやりたくない。

返す気がないにしても、返す金がないにしても、そんな女からどうやって取り返すというのだ。

即座に、頭のなかではそれらの言葉が湧《わ》きあがって、いや、自分にはできませんと断ればすむのだという結論も出たのに、仁志はそれを口にすることができなかった。

この佐伯という老人は、貸した金を取り返したいのではないのだ。そんな金は、佐伯にとっては、もはやどうでもいいのだ。それなのに、取り返してこいと言っているということが、仁志にはわかったのだ。

あの「新田」という陶磁器店の、たったひとりの従業員である北里虎雄が、主人でもあり先生でもある人物から三年間も、あるときは罵倒《ばとう》され、あるときは無視されつづけていた姿が、まるで見ていたかのように、仁志の心に浮かんだ。

まだ罵倒されているときのほうがましだったろう。無視されることのつらさは筆舌に尽くしがたかったであろうが、虎雄はそれをひとりで耐えて、なぜ自分がこんな目に遭わされるのかを考えつづけた。

誰に相談することもできなかったから、自分で考えるしかなかったのだ。

そんな思いが、なぜか心のなかで駈《か》けめぐって、仁志は、佐伯がこの俺を根本から鍛えようとしてくれているのではないかと考えた。

「はい、やります」

と仁志は佐伯の目を見つめて言った。

「自分なりにやってみます」

大変なことを約束してしまった。やっぱり自分には出来ませんと言葉を翻《ひるがえ》すことはもう出来ない。そんな後悔の念が生じたが、やってやろうじゃないかという闘志も湧いてきた。

「自分なりにならなら、誰でもできるよ」

と佐伯は、これ以上に冷淡な言い方はあろうかという口調で言い、鞄《かばん》から三通の封筒を出した。

「自分なりにという壁を越えるんだ。きみは世の中に出てからずっと自分なりにしか頑張ってこなかったんだ」

仁志は、三通の封筒を受け取り、コーヒーとケーキ代を払うと、駐車場へ急いだ。車のエンジンをかけながら、俺はどうかしていると思った。

俺は、仕事を探さなければならないのだ。正社員でなくても、自分に適していない職種であろうとも、もうあれこれと職場や上司や同僚たちの欠点に不満を抱くことなく、そこに根をおろして働くのだ。

そう決めた矢先だというのに、なぜこんなことを引き受けてしまったのか。俺の仕事探しはどうなるのか……。

後部座席に坐《すわ》るなり、

「すぐそこに北白川疏水《そすい》ってのが流れてるよ。三浦さんの家は、その疏水べりだ」

と佐伯は言い、鞄のなかから、ケースに入ったCDを出した。全部で二十二枚あって、どれもみな五代目志《し》ん生《しょう》の落語で、きのう届いたという。

「ぼくのパソコンも持って来たから、今夜、四日市のホテルで入れてくれ」

なにが志ん生の落語だ。俺は今夜から借金の取り立て屋になるんだぞ。相手に恐ろしい男でもついていたら、俺はどうなるんだ。落語のCDのオーディオ・プレーヤーへのインポートは自分でやってくれ。お灸《きゅう》なんかすえないぞ。そんな時間はないんだからな。

　胸のなかでそう言い返しながら、仁志は静かな住宅街を西へと行き、両岸を木や花で飾られた疏水のところで、佐伯の指示どおり車を北へとゆっくり走らせた。

「大きな家がたくさんあるねェ。このへんも、白川通りの向こう側も、京都では高級住宅街だけど、交通の便が悪いね。JRの京都駅からも、阪急電車の河原町からも、京阪の三条や四条からも、バスに乗り換えなきゃいけない。ここは叡山《えいざん》電鉄の駅があるけどね」

　と佐伯は言い、三階建てのマンションの隣を指さした。マンションと歯科医院に挟まれるようにして、こぢんまりとした木造の二階屋があった。

北白川疏水は道の真ん中を流れているので車の停め場所がなかったが、佐伯平蔵が来るのを待っていたかのように玄関から出て来た三浦紀明は、玄関先に並べてある十数個の植木鉢の前を指差し、ここに停めておけば他の車の通行の邪魔にならないと仁志に言った。

喫茶店で話し込んでしまったので、すぐに四日市へと向かわなければならないのだと言いながら、佐伯は三浦と一緒に家のなかへ入って行った。

ほとんど毛のない頭を坊主《ぼうず》刈りにした三浦は、目が大きくて団子鼻で、背は低いが頑丈そうな体つきで、仁志は、なんだか昔の偏屈な大工の棟梁《とうりょう》みたいな人だなと思った。

佐伯の話から、仁志は、三浦を、柔和な顔立ちの、人なつこそうな老人と想像していたのだが、機嫌を損ねるとすぐに拳骨《げんこつ》が飛んできそうな雰囲気があって、自分は車のなかで待っていたいと思った。

なさけないやつめ、軟弱なやつめ、一生、そうやって腰抜けのまま生きていけ、と蔑《さげす》まれてもいい。いまなら逃げられる。借金の取り立てだけは、自分には無理ですと正直に言うほうがいい。

借金を踏み倒して、まったく返す気のないやつから、この俺がどうやってそれを取れるというのだ。暴力団をうしろだてとしなければ、そんなやつから取れるもんか。何のための借用書なのだ。法律は何のためにあるのだ。法に訴えればいいではないか。

返したいけど、金がないから返せない。ない袖《そで》は振れない。申し訳ありません、すみません、ごめんなさい、と土下座されたら、そのあと、俺はどうすればいいのだ……。

仁志はそう考えながら、運転席に坐っていた。三浦の家に入ってしまったら、もうどうにも逃げ出せなくなりそうな気がした。

「どうぞお入りやす。駐車違反の取り締まりは、このへんには来まへんで」

三浦はそう言いながら玄関から出て、運転席のドアをあけてくれた。その笑みは、偏屈で頑固そうな顔を一変させて、父親に叱《しか》られている子をかばう母親のそれを感じさせた。

仁志は三浦の笑みに頼るような心持ちで家に入った。

八畳の座敷にはカーペットが敷かれ、長いソファが置いてあった。仁志は、三浦に勧められるまま、佐伯と並んでソファに坐った。

三浦はテーブルの上の新聞や経済雑誌を片づけながら、アメリカの経済がきな臭いと言い、八畳の間につづく十畳の間の、さらにその向こうの台所へ行き、茶を淹《い》れて戻って来た。

「きな臭いどころじゃないよ。もう火の手があがってるよ」

と佐伯は言い、奥さんはおでかけかと訊いた。

「娘のとこへ遊びに行ってんねん。せっかく行くんやから、ゆっくりしてこいっちゅうたら、ほんまにゆっくりしてしまいよって、きょうは日光の東照宮へ行くっちゅうて……。あいつ、日光には行ったことがないんや」

その三浦の言葉に、東京生まれで東京育ちの自分も、日光東照宮を見たことがないのだと佐伯は笑いながら言い、おみやげに持って来た包みを解いた。

幾つかの紙袋には、夏に咲く花々の球根や種が入っていた。

「朝顔にも、こんなにたくさんの品種ができてたとはねェ。ぼくが知ってる朝顔は、紫と赤だけだ」

「またぎょうさん買《こ》うて来てくれたなァ。こないにぎょうさん、どこに蒔《ま》こかなァ」

佐伯は、このノリさんは、近所では「朝顔じいさん」と呼ばれているのだと仁志に言った。夏は、この家の前も、二階の物干し場も、朝顔だらけになる、と。

「ぼくは朝顔が好きでしてなぁ。そやけど、近所の人らが『朝顔じいさん』と呼んでるとは知らんかったなァ。この家を『朝顔屋敷』と呼ぶんならええけど」

「立派な屋敷は、この周りにたくさんあるけど、誰が見たって、ノリさんのこの家を屋敷とは呼ばんだろう」

「家なんか、持って死なれへん。ぼくと家内のふたり住まいでは、これでも広すぎるがな。息子も娘もおれへんようになったら、二階は誰も使えへん。とうとう昆布と干し椎茸《しいたけ》の倉庫になってしもたがな。息子から倉庫代を払《はろ》うてもらわなあかん」

仁志は、佐伯と三浦の会話を聞きながら、ふたりのあいだでは、すでにこの自分についての話は為《な》されているのだとわかった。これから、この青年が借金を取り立てに行くということも……。

きっぱりと断れ。いましかないぞ。

仁志が意を決して、言葉を発しかけたとき、

「しっかりおきばりやす。この娑婆《しゃば》世間のほとんどのことがわかるようになります」

と三浦は言い、掌《てのひら》に山盛りにした朝顔の種を仁志の掌に移した。

「仁志さんも自分の植木鉢で朝顔を咲かせてみなはれ。この鼠《ねずみ》の糞《ふん》みたいな一個の種のなかに、どれほど凄《すご》い命っちゅうもんがあるか……」

そして三浦は、テレビの横の小さな机の抽斗《ひきだし》から茶封筒を出してきて、朝顔の種を

そこに入れるよう促した。

「どんなに手のこんだ魔法も、このひからびた小さな種から芽が出て花が咲き、また次の種を作ることと比べたら、たいしたことおまへん」

仁志は、茶封筒に種を入れながら、このふたりの老人には、この俺の心の動きが手に取るようにわかるのだなと思った。

「仁志さんは、ご家族は？」

と三浦は訊《き》いた。

父と兄と弟がいる。母は自分が中学生になるころに死に、二年ほどたって父は再婚したが、その人も死んだ。父は公立高校の教師だったが、ことしの春、定年を迎えた。兄は医師となり、弟は税理士をしている。

自分は革製品を造る女職人と一緒に商売を始めたが、女が投げ出してどこかへ行ってしまったので、早急に返さなければならない借金を片づけるために父に泣きついた。そのとき、金は用立ててくれたが勘当されたのだ。

仁志はそう説明し、佐伯さんのお手伝いを終えたら、就職先を探さなければならないとつけくわえた。

自分には、それが最も優先すべきことであって、あなたや佐伯さんの代わりに借金の取り立てなんかしている場合ではないのだと、暗にほのめかしたつもりだった。

それには何の反応も示さず、

「自分は五年前に、生まれて初めて海外旅行をしました」

と三浦は言った。

香港《ホンコン》とマカオだけだったが、あの五泊六日の、妻とふたりきりでの旅は楽しかった。とりわけ楽しかったのは香港の、乾物屋ばかりが軒を並べる通りだ。自分の知らない乾物のほうが多いくらいで、中国の食文化の奥深さに驚嘆した。

フカヒレ、貝柱、鮑《あわび》、海老《えび》、燕《つばめ》の巣は知っていたが、いろんな種類の魚の浮き袋や卵の乾物の作り方、戻し方の技術と、それを使った料理のうまさに感心した。

しかし、考えてみれば、漢方薬のほとんどは乾物だし、中国茶もそうだ。

妻は、もっと他のものも見て歩こうと誘うのだが、自分はあの乾物屋通りで一日すごしていたかった。

どうやって、芥子《けし》粒よりも小さい、微小な砂のような魚の卵の乾物を作るのか。毎日店にやって来て、現地の旅行社のガイドの通訳で質問する日本人の年寄りに興味を持ったらしく、三日目にはその店のオーナーが出て来て、丁寧に説明してくれた。

妻はあきれてしまって、外国に来てまでも乾物に囲まれていたくないと、自分は自分で通訳兼ガイドを雇い、ひとりであちこちを観光し、船でマカオにまでも行って、珍しい小物類ばかりをおみやげに買った。どれもみな孫へのおみやげだ。日本の中学生が、こんなのを貰《もら》っても喜ぶはずがないだろうと思えるようなものばかりだ。

そのなかに、小さな丸いガラス玉のネックレスがあった。ガラス玉の大きさは直径一センチ五ミリほどで、何かの種が入っている。何の種かと妻は店の人に訊いたが、わからないという。

日本に帰って来て、そのネックレスをいちばん歳上《としうえ》の孫娘に渡したが、いまどきこんなネックレスをしていたら、みんなに笑われるとふくれっつらをされた。

自分は、ネックレスのガラスの銀色の蓋《ふた》を苦労して外し、なかの種を出すと、春になるのを待って、植木鉢に植えて水をやってみようと思ったが、もし発芽しなかったら種を腐らせてしまうことになる。

孫たちには何の魅力もないネックレスではあったが、自分は妙に惹《ひ》かれた。植物の種が一個入っているネックレスなど見たことがなかったのだ。

やはりこれは元どおりにして、記念に置いておくほうがよかろうと思った。

しかし、元どおりにするのは、蓋を外す作業よりも難しかった。自分の、蓋の外し方がいささか雑だったこともある。銀色だが銀ではない小さな蓋には三カ所に爪《つめ》がついていて、それをガラスのなかに食い込ませてあったのを、ペンチで引き抜いてしまったのだ。

ガラスは意外に厚くて堅牢《けんろう》で、少々の衝撃では割れそうになかったが、引き抜くときに爪のふたつを折ってしまったらしかった。

その蓋を虫眼鏡で仔細《しさい》に見てみると、小さな字が彫ってある。どうやら漢字のようだ。

かつての持ち主なのか、それとも作った人なのか、中国人の名前だと見当をつけたが判読できなかった。だが、日付を記した数字はなんとか読めた。26．9．1903。

一九〇三年九月二十六日だ。

種をガラス玉のなかから出したのは二〇〇三年の暮れだから、ちょうど百年たっていたことになる。

百年前の植物の種……。

自分は驚き、種の発芽能力というものは、品種によって異なるだろうが、せいぜい三、四年であろうから、すでにこれは死んだ種にちがいないと思い、和紙に包んで抽斗にしまった。

だが、ネックレスを元のとおりに修理したくて、知り合いの貴金属店の社長に見せると、蓋は汚れてはいるがプラチナだという。

鎖は金メッキで、たぶんかなりあとから付け替えたものらしい。作られたときは十八金、もしくは二十二金くらいの純度の金の鎖だったろう。なぜなら、プラチナで蓋を作るくらいだから、安物の鎖を付けるはずがない。

貴金属店の社長はそう言った。

この、なかが空洞になっているガラス玉の厚さ、爪の付け方は、百年前のものだとするなら、当時としては高い技術だとも言った。

自分は妻に電話をかけ、ネックレスは幾らで買ったのかと訊いた。日本円で千円くらいだったと妻は言った。

元どおりに直せないだろうかと貴金属店の社長に訊くと、こういうものを専門とする職人なら朝飯前の仕事だという。

自分は修理を依頼し、蓋の取り外しが簡単にできるようにしてくれればありがたいと言った。

修理は意外に手間がかかった。新たな爪を取り付けなければならなかったからだ。

三浦紀明は、そこで話をやめて、奥の十畳の座敷へ行くと、小さな木の箱を持って来て、それを仁志の前に置いた。

「修理代、二万四千円。このネックレスに見合う金の鎖が二万六千円。合わせて五万円。ぼくの家内がマカオのノミの市みたいなとこの露店のがらくたからみつけたネックレスは高《たこ》うつきました」

そう言って笑い、三浦は箱をあけるよう促した。

仁志は、和紙に包まれたネックレスを出し、ガラス玉を光にかざして、なかの黒褐色の、縦一センチ五ミリ、横一センチほどの大きさの種に見入った。

「ノリさんは、毎晩、一日もかかさずに、これを柔らかい布で磨くんだよ。ガラス玉も、その何かの葉っぱの形をしたプラチナ製の蓋も、鎖も」

それまで無言だった佐伯が、微笑《ほほえ》みながら言った。

「これを仁志さんにあげます。お近づきのしるし、っちゅうとこかな」

その言葉で、仁志は三浦を見つめた。あきらかに怪訝《けげん》そうな、ありがた迷惑と思っている表情だと自分でも気づいたが、それを隠さないまま、

「何のために、ぼくに下さるんですか？」

と仁志は訊いた。

「その種から芽を出させて、育ててみなはれ」

そう三浦は言って、電話機を手に取ると、鰻重《うなじゅう》と肝吸いを三つ出前してくれと頼ん

だ。

「いや、そんなお心遣いはご無用。もうそろそろ行かないとね」

佐伯のその言葉を遮るように、三浦は大きく手を横に振り、

「どうせどこかで昼飯を食わなあかんやろ？　この鰻屋のはうまいんや。それを食べてから行ったらええがな」

と言い、蓋の外し方を教え始めた。

蓋の上部を左に廻すと簡単に外れた。

「ぼくは、この種は生きてると思うんや。ただの勘やけどねェ。中国の、魚の卵の乾物を戻すようにしてみはったらどないやろ」

そして、三浦は、スプーン一杯分の卵ならこうする、三杯分なら、十杯分なら、と語りだし、語り終えると仁志を見つめた。

「まず先にそうやっといてから土に埋める」

三浦はネックレスの鎖を持ち、眼前で吊《つる》して見入りながら、

「たぶん、そうするほうが発芽させやすいと思いますねん」

と言った。

家の前の疏水《そすい》べりの道で遊んでいる近所の子供たちの声が、仁志にはひどくわずら

わしく感じられた。

　このふたりのじじい、俺を何だと思ってやがる。弱味につけこみやがって、自分たちの暇つぶしのための遊び道具にしようというのか。

　借金の取り立てをさせるだけでなく、百年前の種を発芽させて育てろだと？

　いったいそんなことに何の意味があるというのか。俺を七、八歳のガキだと思ってるのか。

　仁志は心のなかで生じた言葉を口にせず、

「ぼくがこれを頂戴《ちょうだい》しても、机の抽斗か、押し入れの奥で眠ったままになると思うんです」

　と言った。

「まあそんなつれないこと言わんと、持っときやす。こういう、作った人や作らせた人の思いのこもったものっちゅうのは、生き物でして、いつかその本領を発揮するときが来るもんです」

　三浦は、ネックレスを強引に仁志の掌に載せて、指を閉じて握らせた。ふしくれだった三浦の太い指の力は、七十五歳とは思えないほど強かった。

「大きさから推量して、蓮《はす》の種かと考えたけど、調べてみるとちごうてました。蓮の種はもうちょっと大きいんです。二千年くらい前の蓮の種がみつかって、それが芽を出して花を咲かせたっちゅうのがニュースになったことがおますなァ」

仁志がネックレスを木の箱にしまうのを見ながら、三浦はそう言った。

木の箱を持ち、仁志は三浦の家から出て、停めてある自分の車のトランクをあけた。鞄《かばん》に木の箱を入れたとき、携帯メールの着信音が鳴った。

――紗由里《さゆり》さんから電話があって、「おかよし」につれて行ってほしいそうです。「おかよし」の社長にお願いしてみたら、次の日曜日なら若い子たちも仕事してるので、見学に来なさいと言ってくれました。ヒトシも一緒に行く？――

虎雄からのメールを読み、

「俺はお邪魔やろ？」

そうつぶやき、仁志はトランクをあけたまま、「俺は行けへん」とメールを打って返信し、三浦家のカーペット敷きの座敷に戻った。

さっき、意を決して、自分には借金の取り立てなどできないと言いかけたときに、三浦が五年前の香港・マカオの旅の話を始め、魚の卵の乾物から、いつのまにか風変わりなネックレスの話題へと移り、百年前の植物の種を見せられ、それを無理矢理受け取らされてしまって、仁志は、もう一度意を決する気分を失《な》くしていた。

出前の軽自動車がやって来て、店員が三人分の鰻重と肝吸いを置いていった。下のご飯が一粒も見えないほどに大きな蒲焼《かばや》きは二切れ載っていたが、佐伯と三浦は、自分たちのぶんの一切れを仁志のお重に載せた。

「えっ！　こんなの四切れもぼくは食べられません」

「若いのに、なさけないことを言うんじゃないよ。ぼくら年寄りに、この二切れは多いよ。遠慮せずに食べなさい。ぼくの肝吸いも、よかったら飲んでしまいなさい」

佐伯は言って、肝吸いの椀《わん》を仁志のほうに押しやった。

「いえ、遠慮してるんやないんです。なんぼ若《わこ》うても、こんなぎょうさん……」

そう言いながらも、仁志は鰻重に箸《はし》をつけた。

こんなにおいしい鰻重がこの世にあるのかと仁志は思った。

「これはうまいなァ。ぼくは、鰻だけは江戸だと思ってたけど、京都のこの店には降参だなァ」

佐伯の言葉に、三浦は嬉《うれ》しそうに笑い、

「京都は奥深いでェ。下京区のあんな小路のどん詰まりに、佐伯平蔵みたいなんが隠れ住んでるんやから」

と言った。

「約三十年間は、週末に東京から帰って来て寝るだけだったけどねェ。日本に新幹線てものができなかったら、土曜の夜に東京から京都まで来て、月曜の朝にまた東京に戻るって生活は不可能だったね。社長が、ぼくのしたいようにさせてくれたお陰だ。社長の恩を、ぼくはどうやって返せるかなァ」

仁志は、ふたりの会話を聞きながら鰻重を黙々と食べつづけ、そうなのか、佐伯は妻子を亡《な》くしたあと退職して、世を捨てたように京都でひとり住まいをしていたが、同じ会社に復職し、以後三十年間、つまり七十歳を過ぎても、社長の片腕として勤めつづけたのだなと思った。

それ以後も、相談役として会社の経営に関わり、来月末をもって完全に身を退くのだ。

その間、下京区の小路の奥の家をずっと借りつづけていて、週末になると新幹線に乗って帰って来るという生活だったのだな。

そうまでして、佐伯を「人間止め」の奥の古くて小さい木造の借家にとどめさせたものは何なのであろう……。

食べても食べてもいっこうに減らない気がする鰻重に、途中から辟易《へきえき》としながらも、仁志は、佐伯という人物を大切にした社長とはどんな人だろうと思った。

四十年前のドイツで、日本人が会社を作るためには、どれほどの困難を乗り越えなければならなかったかは、仁志にも多少はわかる気がした。

そんな困難の連続のなかにあっても、その社長と佐伯とは、オンボロのフォルクスワーゲンでヨーロッパ中を廻り、営業活動のあいまを縫ってオペラ観劇に夢中になっていたのだ。仁志は、こういう人を豪傑というのだなと思った。

もう腹が一杯で喉《のど》を通らなくなった鰻の蒲焼きとたれの染《し》みたご飯を肝吸いで胃に流し込んでから、

「その社長さんは、佐伯さんより歳下でしたよね」

と仁志は佐伯に訊《き》いた。

「ぼくより三つ下だから、いま七十二歳だ。七十歳になったとき、古希《こき》のお祝いを盛大にやろうって周りは勧めたんだけど、本人はいやがってね。親しかった人が、古希のお祝いをした翌々日に急死したからってのが理由だったけど、あれは口実でね。年寄りになりました、なんてお披露目を自分からやりたくはなかったんだろう。ヨーロッパでの生活が長いから、そういうところは日本人とはかなり考え方がちがうんだな。日本人の良さと、ドイツ人の良さを併せ持ってるんだよ。自然にそうなったんじゃないんだ。彼は努力して、自分をそういう人間にしたんだ」

仁志は、鰻《うなぎ》の蒲焼きもご飯も残さず食べ、佐伯のぶんの肝吸いもたいらげて、ソファの背に体を凭《もた》せかけながら、大きく溜息《ためいき》をついた。そうしないと、食べたものが出て来そうな気がした。

「ほう、食べましたなァ。それだけ食べられたら、半殺しの目に遭わされても立ちあがれまっせ」

と三浦は全身を揺らせて笑った。

「半殺し……。ぼく、借金の取り立て先で、そんな目に遭わされるんでしょうか」

「遭わされたら、勝ちでっせェ」

三浦はまた体を揺らせて笑った。

その意味がよくわからないまま、もうどうにでもなりやがれと仁志は腹をくくった。すると、必ず貸した金を取り返してやるという、闘志といってもいいものが湧《わ》きあがった。

「その社長はねェ、ドイツの会社では現地の人しか雇わなかったんだ。日本人は社長とぼくだけ。経営に関わる人間も、工場のエンジニアも、出来あがった製品をフォークリフトで運ぶ人も、みんな国籍はドイツだ。いま、ドイツの会社は、ドイツ人が社長になっているよ」

そう言うと、佐伯は腕時計を見た。

「四日市までどのくらいかかる？」

佐伯の問いに、新名神高速道路が開通したので、約一時間半だと仁志は答え、背広の内ポケットから三通の封筒を出した。

それぞれの氏名と現住所が封筒の表に書いてあった。

三重県四日市市の沢田まり子の封筒の中身を取り出し、仁志はその三枚の紙に目を通した。

一枚は借用書のコピーだった。日付は平成五年六月十八日。金額は百六十万円。

別の一枚は、毎月返済された金額と残高が記してあって、平成九年五月三十一日に二万円が振り込まれたのを最後に、それきり滞っている。残りは九十二万円だった。

三枚目の紙には、沢田まり子の現住所と、どんな商売をするために融資を頼み込んできたかが書かれてあった。

「彼女の惣菜《そうざい》屋は、初めはうまくいってたんだ。でも、儲《もう》かるようになってくると、商売以外に目移りするものが増えてきて……。たちの悪い男と一緒になっちゃって」

と言いながら、佐伯は立ちあがった。

たちの悪い男？　それって、背中一面に竜と雲とか唐獅子《からじし》牡丹《ぼたん》とかを彫り込んでいる男ではないだろうな。

仁志は体が熱くなったり冷たくなったりするのを感じながら、三浦の家から出て、車の後部座席をあけた。足が縺《もつ》れて、膝《ひざ》に力が入らなかった。

「まあ、おきばりやす。この旅で経験しはることは、なにもかもが、三十年後に大きな宝物になって返ってきます」

送りに出て来た三浦は、掌《てのひら》で仁志の背を強く叩《たた》きながら言った。

なんだか死地に赴くような心持ちで、仁志は運転席に坐《すわ》り、エンジンをかけた。白川通りに出て、名神高速道路の京都東インターへと向かった。道なりに行けば、白川通りは南禅寺の南側からインターへとつながるのだ。

車を走らせながら、三十年後？　と仁志は三浦の言葉を反芻《はんすう》した。

三十年後とは、俺が六十歳になればということではないか。そんな先のことのために、俺に借金の取り立てをさせようというのか。

宝物だと？　三十年もたたなければ宝物になって返ってこないものとは何なのだ。きょうあすの自分の人生にすら光明が見いだせないどころか、どうやって生きていけばいいのかさえもみつけられない俺に、三十年後の宝物が何の役に立つというのか。気休めにもならないことを言って、励ましたつもりか。いいかげんにしやがれ。

仁志は、胸のなかでそう言いながら、これは高い日当を貰《もら》えるアルバイトなのだと割り切ればいいのだと考えることにした。

京都東インターの手前で道は少し混んだが、高速道路に乗ってしまうと、気を緩めればすぐに制限速度を大幅に超えかねないほどに車の数は少なかった。

左側に琵琶湖《びわこ》が見えてきて、その西側には、頂にまだ少し雪の残る比良《ひら》山系が緑色に光っていた。

「三十年たっても、きみはまだ六十歳だな。つまり、三十年たって、やっときみは、さあ、いよいよこれからが本当の人生だって年齢に達するわけだ」

と佐伯は言った。そして、十年一剣を磨く、という言葉を知っているかと訊いた。

「イッケンって、どんな字でしょうか」

仁志の問いに、佐伯は、数字の一に剣《つるぎ》だと教えてくれて、

「きみなら、この言葉の意味がわかるだろう？」

とつづけた。

わかるような気がしますと答えたら、また叱《しか》られると思い、仁志は「はい」と言った。

「じゃあ、子供にもわかるように簡単な言葉で説明してみなさい」

佐伯にそう言われた途端、仁志は、ハンドルを握っている掌が汗ばんで、喉が渇いてきた。

「ひとつのことに十年打ち込めば、なんとかものになる、ということやと思います」

「うん。そこに、必死にとか、懸命にとかという言葉が要るね」

と佐伯は言った。

「しかし、きみが、十年必死に稽古《けいこ》をしても、大相撲の横綱にはなれないんだ。横綱どころか幕内力士にもなれない。いや、まず入門ができない。その意味もわかるだろう？」

「はい、わかります」

「きみは、これからの十年、自分の何を磨くのか。それを決めなさい」

「いまですか？」

「いや、少し時間がかかるだろう。しかし、何を磨くにしても、自分という人間を磨くことがすべてだ」

だんだん年寄りのお説教になってきたぞ。自分を磨くか……。使い古された言葉だ。どうやったら磨けるのか、具体的に教えてくれたやつなんかひとりもいないんだからな。

仁志がそう心のなかで言った瞬間、

「自分を磨く方法を教えるよ」

と佐伯は言った。仁志は、車の速度を落とし、佐伯の次の言葉に神経を集中した。

「働いて働いて働き抜くんだ。これ以上は働けないってところまでだ。もうひとつある。自分にものを教えてくれる人に、叱られつづけるんだ。叱られて、叱られて、叱られて、これ以上叱られたら、自分はどうかなってしまうっていうくらい叱られつづけるんだ。このどっちかだ」

何か返事をしなければならないと思うのだが、仁志は言葉を発することができなかった。

仁志は、佐伯が、たとえばこういう書物を読破せよとか、座禅でも組んで二年か三年瞑想《めいそう》する時間を持てとか、貸した金を見事に取り立ててみせろとか言うのではないかと思ったのだ。

けれども、佐伯が口にしたのは、受け取りようによっては過労死寸前まで働けとか、職場でのパワハラを推奨するかのような言葉だった。

無論、佐伯の伝えようとしていることはそうではないと仁志はわかったが、実践するとなると、これほど難事はないと即座に気づいて、どう応じ返せばいいのかわからなくなったのだ。

「このふたつのうちのどっちかを徹してやり抜いたら、人間は変われるんだ。悪く変わるのは簡単だが、良く変わるのはじつに難しい。だけど、このふたつのうちのどちらかをやれば、人間は良く変われる。だまされたと思って、やってごらん」

と佐伯は言った。

その口調は滅多にないほど優しかった。

「ぼくはいま定職がありません。大学を出て七年以上もたっていますし、何か資格を持ってるわけでもなく、人よりも得意なものも持ってません。死ぬ一歩手前まで働きたくても仕事がないんです」

と仁志は言い、さらにつづけた。

「何か技術を身につけるにしても、ぼくには、どんな技術を身につけたらいいのかっていう目標がないんです。その技術を教えてくれる人がいなかったら、叱られようがありません。叱られたくても、叱ってくれる人とめぐり逢《あ》わないんです」

その仁志の言葉に、

「きみは、いま仕事をしてるじゃないか」

と佐伯は言った。

仕事か……。借金を返すために引き受けた運転手という臨時の仕事だ。これを仕事といえるのだろうか。

佐伯平蔵と三浦紀明はともに七十五歳。いま、自分たちが営利を目的とせずにつづけてきた奇特な融資のなかの未解決な案件を整理する段階に入っている。

そのことは、佐伯に説明されなくても、およその見当はつく。

すべてを回収できるかどうかは別にして、佐伯と三浦は、自分たちが本業のかたわらにやってきたことに幕を降ろそうとしている。

それは当然であろう。これから新たに融資を求める者があらわれても、ふたりのやり方では、完済までに時間がかかり過ぎて、どちらかが、いや、どちらもがこの世からいなくなってしまう。

礼金といっても、おそらく微々たるもので、儲けになんかなりはしない。

相手が返済しなければ、それはそっくり損害となるしかないのだから、ほとんど慈善事業に等しい。

七十五歳になったのだから、ここいらで終わりにしようとするのは当然なのだ。

まだ回収できていない金の整理に二年も三年もかけるはずがない。長くても、せいぜい半年といったところであろう……。

かりに自分が半年間手伝うとしても、そのあとのことを考えておかなければならない。

たったの半年……。

瀬田東インターを過ぎて、草津ジャンクションから新名神高速道に入るまで、仁志は、そんなことを考えて、よし、最後までつきあおうと決めた。

就職先探しは、それが終わってからにしよう。とにかく、佐伯は、多すぎるほどの日当を払ってくれるだけでなく、借金のぶんも引いてくれるのだから、と。

「そうですね。確かにぼくはいま仕事をしてるんですね。はい、死ぬほど働きます」

と仁志は言った。

「よし、決めたんだな？」

と佐伯は念を押すように訊き返した。

「はい、決めました。自分の就職先のことは、佐伯さんのこのお仕事が終わってからにします。それまでは、働いて働いて働き抜きます。よろしくお願いします」

「この仕事が終わってから？」

そう言われて、仁志はバックミラーに映っている佐伯を見やった。

「いつ終わると思ってるんだ。きみはこの仕事を腰掛けのつもりでやるというのか」

耳の奥に金属音が響くほどの大声で怒鳴られて、仁志は車の左側をガードレールにぶつけそうになった。

「短期間の腰掛け仕事で、死ぬ一歩手前まで働いてみせるだと？　そんな決意を誰が信じるというんだ」

佐伯は後部座席から身を乗り出し、仁志の耳元で、さらに大きな声で怒った。

なんだかわけがわからなくなり、仁志は車を停められそうな場所を探したが、故障でもないのに高速道路で停車するのは危険だと思い、そのまま運転をつづけた。自分の心臓の音が大きく聞こえた。

「わずかな資金があれば、自分で何か小さな商いができるという真面目《まじめ》で働き者の女性は、たくさんいるんだ。自分の商売の才能に気づいていない女性が、安い賃金でこき使われながら、苦しい生活のなかで子供を育ててるんだ。そういう女性は、これからますます増えていくんだ」

別人のように静かな声で佐伯は言った。

「勝手に早とちりをしてしまいました。ぼくは、佐伯さんが融資を終わるために、その整理を始めたって思ったんです。丹後への旅も、今回の旅も、そのためやと思ってしまいました。申し訳ありません」

と言い、仁志は車の速度を落とした。

道幅の広い新しい高速道路は、低い山々に挟まれたところへと入って、カーブが多くなったのだ。

「これまでのは、ここでいったん整理するんだ。今回のも、そのための旅だよ。しかし、やり方を変えて、これからもつづける。どうやり方を変えるか……。いずれにしても、きみがそれをやるんだ。きみはさっき確かに、よろしくお願いします、死ぬほど働きますと言ったからね」

それは、話があべこべではないのか。詐欺《さぎ》に等しいではないか。

俺は、そんなことは知らずに、やります、よろしくお願いしますと言ったのだ。

仁志は、そう言い返しかけて、いや、佐伯はわざと新たなやり方でつづけることを先に話さなかったのではないだろうかと思った。

だとしたら、どういう理由からであろう。

この頼りない、役立たずの坪木仁志という若造でなくても、誰でも、佐伯と三浦が善意による貸しつけの整理をして、これで終わりとするつもりだと考えるはずだ。

俺が、あれほどの大声で怒鳴られるような早とちりや勘違いをしたとは思えない。

こんなに理不尽な怒り方があろうか。このじいさんは、ただ単に短気で癇癪《かんしゃく》持ちなだけではないのか。情緒不安定な老人といってもいいくらいだ。

まったく、このじいさんといると、気が休まるときがない。せめて、俺が車を運転しているときは、うしろで怒鳴らないでくれ。事故を起こしたらどうするんだ……。

仁志は、心のなかで佐伯に文句を言いながらも、「きみがそれをやるんだ」という言葉を確かに聞いたが、何のことだろうと思った。ふいに怒鳴られて、気が動転して、ほとんど聞きのがすところだったが、佐伯の言葉にそのひとことが混じっていたのは空耳ではない、と。

佐伯も三浦も、自分で商売を始めたい女性への支援をつづけようと考えている。ただ、これまでのやり方はひとまず終わる。別のシステムを作ろうとしている。

そこまでは理解できたが、それをやるのがこの俺だというところがわからない。

仁志は、正直に疑問を口にして、佐伯の真意を訊《き》くことにした。

その仁志の問いを無言で聞いていた佐伯は、

「自分たちが応援してあげた女性が、商売を成功させていくのを目《ま》のあたりにするのは、じつに嬉《うれ》しいもんだよ。最初は小さな商いだったが、堅実に業績を伸ばしていって、チャンスが来たら、さらに高みをめざして大きな商いに転じて、それも立派に成功させた女性が何人かいるよ。うまく行かず、商いを断念するしかなかった女性も、何人もいるけどね。ぼくと三浦さんのような奇特な人間がいなくなるのは、人の世の損失だ。しかし、ぼくも三浦さんも歳《とし》を取った。いつ何が起こっても不思議じゃないし、この四十年近いあいだに世の中も大きく変わった。どんな小商いだろうが、いまは百万や二百万の金では商売なんか始められない。さいわい、ぼくと三浦さんはかなりの金がある。それを、きみが動かせるようになっていけ。きみがやるんだ」

と静かでゆっくりとした口調で言った。

「どうして、ぼくなんですか？　ぼくに、そんな力があるとは思えません。それに、ぼくは佐伯さんの運転手をさせていただくようになって、まだ二週間くらいしかたってないんです」

「いやなら、いやですと、いまはっきりと断りなさい。やるのか、やらないのか、どっちなんだ。力はこれからつけていくんだ」

二者択一をいますぐやれと佐伯があえて求めているとわかったが、仁志は、これほどの人生の大事を、車を運転しながら即座に決めろというのかとあきれた。熟考どころか、二、三分考える時間も与えてくれないのか……。

そう思いながらも、仁志の心に、「きみは後者だ」と佐伯が言った丹後での時間が甦《よみがえ》った。

あのときすでに、佐伯は、この俺に白羽の矢をたてていたのだ。いまはただ頼りないだけの三十歳の若者に、自分と三浦がやってきたことの跡を継がせようと。

理由はわからないが、見込みがあると評価してくれたのだ。

断るのは簡単だ。しかし、断ったら、俺は佐伯という老人と縁が切れてしまう。それはなんだかとてもつらくて寂しい。俺はこの人が好きなのだ。この人と離れたくない。それで充分ではないか。俺は、この人に自分のすべてを預けてみよう。

その考えは、仁志のなかで順序だって生じたのではなかった。同時に一瞬にして絡《から》み合ったのだ。

「やります」

と仁志は大きな声で言った。なぜか、三十年後の久美浜の、威風堂々とした森の姿が見えた。

「よし、頑張るんだぞ。こちらこそ、よろしく頼むよ」

佐伯はそう言って、シガレットケースから煙草《たばこ》を出してくわえたが、いつものように火はつけなかった。

「ツッキッコのスパゲッティはねェ、誰も真似《まね》のできないソースが売りだって言ったろう?　あれは赤尾月子さんが偶然に作りだしたもんなんだ」

「ツッキッコって何ですか？」

「ああ、店名だよ。スパゲッティ専門の店『ツッキッコ』。自分の名を少し変えて店の名にしたんだ。本格的なイタリア料理店なんか少なかった時代でね。あのスパゲッティも、イタリア人が見たら、これは何だとびっくりするだろう。だけど、食べたらうまい。モルト・ブオーノと叫ぶよ」

と佐伯は笑顔で言った。

ある日、赤尾月子は、勤めていた料理屋で、その日のまかない料理を担当した若い料理人が湯剝《ゆむ》きしたトマトを切るのを見ていた。

その横には、大量の牛スジ肉を煮る大鍋《おおなべ》があった。

板長が、何か新しい料理を考えついて、牛スジ肉のだしを取っていたのだ。

だから、その大鍋のなかのものと、若い調理人が皮を剝《む》いて種も取り、短冊《たんざく》状に切っているトマトとは別の物だったのだ。

出入りの魚屋が何種類もの魚を配達してきたので、頼んだとおりの品かどうかを確認するために、若い調理人は板場を離れた。

彼は店内を掃除している月子に、

「そのトマトを入れといて」

と頼んだ。

魚屋の声が大きかったのと、板長が誰かと電話で話しているのとで、「そこにトマトを入れといて」

と聞き間違え、月子は珍しいことがあるものだと思いながら、トマトを牛スジ肉を煮ている大鍋に入れた。

たとえまかない食であろうとも、板場の者たちが仲居の月子に手伝わせるなんて初めてのことだった。

若い調理人は、「ボウルに」というひとことを忘れたのだ。

「そのトマトをボウルに入れといて」

が正しいのだ。

電話を終えた板長が大鍋のところに戻ってきて、誰がどうしてここにトマトなんか入れやがったのかと怒鳴り、履いていた高下駄を手に持つと、魚屋と話をしている若い料理人の頭をそれで殴った。

月子は、自分が聞き間違えたのだと謝ったが、板長は月子を叱《しか》らず、大鍋の中身をすべて捨てようとした。

トマトが入ってしまったとはいえ、こんなにおいしい牛スジ肉のだしを捨てるのはあまりに勿体《もったい》ない。私が持って帰って、子供たちに食べさせるように工夫するから、これを頂戴《ちょうだい》できないだろうか。

月子は板長にそう頼んでみた。怒り心頭に発していた板長は、好きにしろと怒鳴って、若い調理人の尻《しり》を蹴《け》った。

月子は店の軽自動車を借りて、大鍋ごと家に持って帰り、幾つかの鍋や容器に移して、また店に戻った。そして、仕事を終えて帰宅すると、さてこれをどううまく利用しようかと考えた。

これはいっそもっとたくさんトマトを入れたほうがいい。

そうしてみたが、どうにも食べられたものではない。

香辛料をさまざまに組み合わせてみたりしているうちに、もっと時間をかけて煮込んでから、中身をすべてミキサーで攪拌《かくはん》してはどうかと思いついた。

それならば、もっと香味野菜を入れよう。タマネギ、にんじん、セロリ、ニンニク。

それに月桂樹の葉……。

ミキサーでどろどろにしてできあがったものは、オレンジ色がかった茶褐色の変な色だったが、とろみをつけるために生クリームを加えたことによって、色もきれいになった。ふたりの子に、そのソースをご飯にかけて食べさせてみると、おいしい、おいしいと喜んで食べた。月子は、このソースをスパゲッティにかけてみてはどうかと考えた。

あれこれ試しているうちに、スパゲッティは茹でるだけでなく、バターで炒《いた》めるほうがソースに合うと気づいた。

基本のソースの作り方はできた。あとは、もう一工夫、二工夫だ。

何かが足りないのか、何かが多いのか。

月子は何度も香辛料の配分を変えたり、香味野菜の量を変えたりして、自分が納得できるソースを完成させたのだ。捨てられかけた大鍋の中身を貰《もら》って帰ってから三カ月かかった。

これならば、スパゲッティを茹でておきさえすれば、子供たちがそれをバターで炒め、ソースを温めるだけで食べられる。お腹を空《す》かせて母親の帰りを待たなくてもいいのだ……。

佐伯は楽しそうに話しつづけ、

「月子さんはねェ、ここまでしか教えてくれないんだ。使っている香辛料とか香味野菜の配合とかは秘密なんだ。あのソースを完成させた月子さんもたいしたものだけど、それをご馳走《ちそう》になって、店に出したら売れると確信したノリさんの舌と、商売の勘もたいしたもんだよ。月子さんの『ツッキッコ』は大繁盛《だいはんじょう》して、大阪の梅田と道頓堀《どうとんぼり》に支店を持って、祇園《ぎおん》の花見小路に八十坪の土地を買ったんだ。その土地を担保に銀行から金を借りてアカオ・ビルっていう五階建てのテナント・ビルを建てた。ビルの五階は『ツッキッコ』の事務所だよ」

と言った。

亀山《かめやま》ジャンクションから東名阪道に入ると四日市のインターまでは十五分ほどだった。

ホテルで佐伯を降ろして、チェックインしたら、俺はすぐに沢田まり子という女の住まいを捜さなければならないと仁志は思った。

昼間に家にいるだろうか。留守だったら、いやな仕事が先に延びるのだ。

だが、そういうときにかぎって、相手は家にいるし、その家も簡単にみつかってしまうのだ。「朝帰り　だんだん家が近くなり」とおんなじだ。

そしてその家のチャイムを鳴らすと、案じていた以上の何かが待ち受けているのだ。

ええい、こうなったら出たとこ勝負だ。俺は、沢田まり子に当然の要求をしに行くのだ。何を怯《おび》えることがあろう。

これから大手術を受けるために手術室へと運ばれている病人の身になってみろ。相手は、人間の信頼というものを裏切って、借りた金を踏み倒して逃げたやつなのだ。俺が臆《おく》してどうするのだ。よし、エルガーの行進曲「威風堂々」を聴いてから、沢田まり子に逢《あ》うぞ。

仁志がそんなことをあれこれ考えているうちに、四日市インターを降り、幾分道の混んでいるところもあったが、十五分ほどで近鉄四日市駅の近くのホテルに着いた。三時前だった。

チェックインして、佐伯のジャケットをハンガーに掛け、仁志は自分の部屋に入ると、沢田まり子の借用書のコピーを見た。封筒のなかには、この者は自分の代理であると佐伯がしたためて判を捺《お》した便箋《びんせん》も入っていた。現住所の書かれたメモ用紙もある。

仁志は再び佐伯の部屋に行き、

「沢田さんのところに行って来ます」

と言った。

「うん、手ぶらで帰って来るんじゃないよ。何等《なんら》かの結果を持って来なさい」

佐伯は、窓のところに立ち、四日市の街に眺め入ったまま言った。遠くに工場と煙突と大型クレーンと海が見えた。

　仁志は、ホテルのフロント係に、沢田まり子の住所が書かれたメモと地図を見せ、道順を教えて貰った。四日市の駅を挟んで、ホテルとほぼ向かい合ったところで、歩いて十五分ほどだという。

「……そんなに近いんですか」

　仁志の、がっかりした口調で、フロント係は少しいぶかしそうな表情を向け、この周辺には車を停められる場所がないと言った。

「ええ、歩いて行きます」

　そう言って、仁志はホテルから出ると、広い通りを渡り、駅への道を歩きだした。

　背広の内ポケットに入れて来たオーディオ・プレーヤーのイヤホーンを両耳に突っ込み、エルガーの「威風堂々」を選曲したのに、聞こえてきたのは、ショパンのピアノソナタ「葬送」だった。

「なんや、これ。げんの悪い曲やなァ……。間違うのにも、ほどがあるっちゅうねん」

　そうつぶやいて歩を進めながら、仁志は選曲しなおそうとしたが、久しぶりに聴いたショパンの「葬送」が、これまでに感じなかった強さで次第に心に沁《し》みてきた。仁志は、音量を大きくして、ピアノの鍵盤《けんばん》の上を滑っていくアシュケナージの指を想像した。

高架の下を抜け、駅の西側に出ると、飲食店が並び、ホテルの横からつづく道は、どこか閑散とした市街地の向こうまで伸びていた。

日本でも有数の工業地帯の中心部にしては活気がないなと思い、仁志は「葬送」が終わるとオーディオ・プレーヤーの電源を切り、地図を見た。

ホテルのフロント係が、たぶんこのへんだろうと鉛筆で丸く囲んでくれた場所は、広い道を北側に入ったあたりだった。

居酒屋のチェーン店や消費者金融の建物が並ぶところを北へ行き、仁志は、もういちど沢田まり子の住所が書かれたメモを見た。そこには、佐伯の字で南田まり子と書いてあった。

そうか、沢田まり子は、佐伯から融資を受けて惣菜《そうざい》屋を開業したときの名で、その数年後、結婚して姓が変わったのだ。

このメモを見て、すぐにそれと気づかなかったのは、俺の精神が平静でなかったからだ。俺という人間は、なんと弱いのであろう。もう三十歳だぞ。

――まず現場に出て、目で見て、匂《にお》いを嗅《か》いで、舐《な》めて触って調べろ！　現代人には二つのタイプがある。見えるものしか見ないタイプと、見えないものを見ようと努力するタイプだ。きみは後者だ。――

仁志は「きみは後者であれ」と変えて、自分に言い聞かせた。

メモ用紙に書かれた住所の「タツミ・ハイツ」を捜して四つ辻《つじ》に立ち止まり、四台しか停められない有料駐車場から出て来た男に訊《き》いてみると、ああ、ここや、と隣の細いビルを指差した。

その隣にも同じ五階建てのビルがあって、二棟はつらなっていたので、仁志は気づかなかったのだ。ホテルを出て十二、三分しかたっていなかった。

「やっぱりなァ、簡単にみつかるんや。いやなことからは逃げられへん。逃げれば逃げるほど、しつこく追いかけてきよる。我が影の如《ごと》し。昔の人はうまいこと言いよったもんやなァ。上々の首尾で、喜んでホテルまで帰れたら、玄関のあたりで気をつけなあかん。港口で船が沈むっちゅう言葉があるからなァ。志ん生の『百年目』に出てくる言葉や」

小さなマンションの一階にドアはなく、郵便受けの奥にエレベーターがあった。けれども、そのエレベーターは四階と五階にしか止まらない。南田まり子の住まいは三階で、郵便受けには何も入っていなかった。

「よし、行くぞ」

そう声を出し、ネクタイの結び目を整えると、仁志は階段をのぼって行った。

各階には二世帯が入居していて、南田と彫った小さなプラスチックの板がドアに貼《は》られてある部屋は、道とは面していなかった。

チャイムを押すと、すぐにドアがあき、初老の女が仁志を見た。ドアチェーンは外していない。

仁志は、あなたは南田まり子さんかと訊いてから、自分は京都の佐伯平蔵の代理として来た者で、坪木仁志という名乗り、

「佐伯さんの代理で来たわけですから、用件はおわかりだろうと思います」

と言った。部屋の奥のほうから、テレビゲームの電子音が聞こえた。

「へえ、わざわざ京都から来はったんですか」

と言い、南田まり子は笑みを浮かべたが、ドアチェーンは外さなかった。

「ここでは、お話ししにくいんですが」

その仁志の言葉に、

「私は、このほうが話がしやすいんですけど」

と南田まり子は言って、部屋の奥を見た。

誰かが訪ねて来て、どうやらセールスマンではないらしいくらいはわかったはずなのに、テレビゲームに興じている人間は、その場から顔も出さなかった。

仁志は、借用書のコピーと、これまでに返済された金額、それに残高を記した紙をドアの、十センチほどの隙間《すきま》から南田まり子に渡した。

「平成五年六月に百六十万円をお貸しして、平成九年五月末まで、毎月返済していただいていたので、残高は九十二万円です。つまり、六十八万円はお返しいただいたことになります」

そう言ってから、仁志は、さあ、これからどういうふうに話を運んでいこうかと考えた。

力ずくの脅しは使えないし、自分にはそんなことはできない。情に訴えてどうなるものでもない。

佐伯がなぜ金を貸してくれたかも、この女にはよくわかっている。

担保もなく、保証人もなしで、無利子で、佐伯が金を貸してくれたのは、商売を始めようとしている女を信用してくれて応援しようと思ってくれたからだ。

礼金といっても、借りた人間の随意なのだから、ほとんど無利子に等しいのだ。

そんな信用とか信頼とかを裏切って、京都から姿を消してしまった女をどう説得するというのか。しかし、まず話をすることだ。盗人にも三分の理、というのを聞いてみよう。話をしているうちに、南田まり子の心に変化が生じるかもしれない。

仁志はそう思い、

「おうちのなかに入れていただけませんか。私は、九十二万円をいま全部払えなんて要求しません」

と言ってみた。

すると、奥の部屋から、

「入ってもらえや」

という男の声がした。

「ちらかってるから、他人に入ってもらいとうないねん」

と言いながらも、南田まり子はドアチェーンを外し、ドアをあけた。

履物が並んでいる狭い場所に立ち、部屋にあげてもらわなくても、自分はここで結構だと仁志は言った。男は顔を見せようとはしなかった。

ドアの隙間から目にしているときは、六十代半ばと思えたのだが、周りに窓のない、電灯もつけていないところであっても、一メートルくらい離れて向かい合った南田まり子は、四十代後半にしか見えなかった。

「始めた商売が思いのほかうまくいかなかったとか、いろんな事情で働けなくなったという人も何人かいます。商売ですから、それは当然のことです」

どう話を進めていこうかと、あれこれ知恵を絞りながら、名案が浮かぶまでの時間稼ぎとして、仁志はそう言った。

南田まり子は、何か奇妙なものを見る目つきで仁志から視線をそらさなかった。無表情ではあったが、仁志はその南田まり子の表情の奥に、せせら笑いに似たものがあるのを感じた。

どうにも取りようのない金を、わざわざ京都から四日市まで訪ねてきて取ろうとするなんてご苦労なこった。そのうち、あきらめて帰るだろう。こっちは、この若造が帰るのを根気よく待つだけだ。

仁志は、南田まり子が心のなかでそう言っているような気がした。

「毎月、三千円とか五千円とか、ときには一万円とかを返済しつづけて、返済を終えた人がいます。そういう方法はいかがですか」

顔の上気も動悸《どうき》もいつのまにかおさまると、仁志は相手のふてぶてしさに腹がたってきた。

なんだ、この小馬鹿《こばか》にしたような目つきは。なめているのか。もし佐伯がこの借用書を、世間では「取り立て屋」と呼ばれる連中に、五万円とか十万円とかで売ったらどうなると思うのだ。

この女は、そういうことを商売にしている人間がいることを知らないのか。

仁志は、多少はそれを匂わせる言葉を使おうかと考えたが、腹を立てたら負けだと自分に言い聞かせた。佐伯の意思に反する、と。

脅しと取られる言質《げんち》をいささかなりとも与えてはならないし、そうまでして取り返したい金ではないのだ、と。

「毎月、三千円を払いつづけたら、九十二万円を返すのに何年かかりますのん？」

と南田まり子は、こんどははっきりと馬鹿にした笑みを浮かべて訊いた。

仁志は携帯電話を出した。

電算機を画面に表示させ、

「月に三千円ですと、一年で三万六千円ですから、十年で三十六万円ということになります」

と言い、仁志は計算した。

「二十五年と六カ月プラス二千円です。毎月五千円だと百八十四カ月。十五年と四カ月で完済できます」

テレビゲームの電子音が消え、豊かな銀髪をオールバックにした男が奥の部屋からやって来た。エンジ色の大きすぎるジャージーをだらしなく着ていたが、彫りの深い整った容貌《ようぼう》だった。

仁志は、三千円の場合と五千円の場合との返済期間を自分の手帳に書いて、それを南田まり子に渡した。ボールペンを使う手が震えた。

「もうあきらめてェな。佐伯さんには申し訳ないと思てるんや。そやけど、ぼくら夫婦と娘が生きていくのもままならんようになってしもてなァ。佐伯さんに、よろしゅう伝えといてや」

と男は言った。

幾つくらいだろうか。六十二、三歳といったところか。この人とよく似たタレントがいるな。いまでもこれほどの美男子なのだから、若いころは女たちに騒がれたことだろう。

仁志はそう思いながら、紙きれに書かれた数字に目をやっている南田まり子を見つめた。

「二十五年と六カ月……」

と南田まり子はつぶやいた。

「四十八の女に、七十三になるまで毎月三千円を払えと言うわけ？　私が七十三まで生きてる保証はあれへんよ」

「返しつづけてくれれば、それでいいんです。毎月三千円なら、なんとかなるんじゃないでしょうか」

「佐伯さんの寿命がもたんがな」

と男は笑いながら言った。

佐伯平蔵がやってきたことは、この自分が引き継ぐことになった。世の中の変化に応じて、そのやり方も変えざるを得ないが、自分で商売をしたいという女性を応援していくことに変わりはない。

仁志はそう言い、もういちど携帯電話の電算機機能を表示させて、毎月二千円の返済として計算してみた。

三十八年と四カ月だった。

仁志は、二千円ならこうなると、携帯電話の画面を夫婦に見せた。

「こんな悠長な返し方でええんなら、この借金、いっそチャラにしてくれたらええがな。俺の女房、三十八年たったら、……えーっと、八十六やがな。こいつの残りの人生、ぜーんぶ、毎月二千円の金を払いつづけるためにあるのか？　えげつない金貸しがおるもんや」

　男はあきれたように低い天井を見あげ、ジャージーのポケットから携帯電話を出し、どこかに電話をかけて、出てきた相手に、

「あこぎな金貸しが京都から追っかけてきよったんです。ちょっとお力を貸してもらおうと思いまして」

と言った。

　仁志は、ならず者を呼ぶのなら呼びやがれと思った。半殺しの目に遭わされたら勝ちでっせェという三浦の言葉がわかったのだ。

　これがいまの俺の、なさねばならない仕事なのだ。俺はいま働いているのだ。働いて働いて働き抜くのだ。

　どんなやつを呼んだのかわからないが、俺は手ぶらでは帰らないぞ。毎月二千円の金も返せないというのか。この夫婦は、働ける体を持ちながら、人間をやめる気か。

　仁志はそう胸のなかで言ったが、屈強な連中に手加減なしで殴られたら半殺しでは済まないかもしれないと思い、血の気が引いていくのを感じた。それなのに、言葉は自然に口から出ていた。

「いかがでしょうか。月に千円ずつだと、七十六年と八カ月かかって、ぼくも生きて

ないでしょうから」

南田まり子は小さく笑った。さっきまでの小馬鹿にした笑いとは異質のものだった。

「なァ、もう帰ってくれよ。俺ら夫婦は、京都であちこちに不義理を重ねて、もうどうにもならんようになって、なんとかやり直そうとここへ来たんや。ゼロから出発をしたつもりやったのに、この底の見えへん不景気で」

その夫の言葉を制して、

「えーっと、お名前は何でした？」

と訊いた。

「坪木です」

「坪木さんが、佐伯さんの跡を継いで、この仕事をつづけていきはるんですか？」

南田まり子はそう訊いた。

「おい、帰れよ。ここにおったら、俺の知り合いの、こういうことに慣れたやつが来よるがな。いま電話で呼んでしもたからなァ」

亭主はドアのノブに手を伸ばしながら言った。

「どんな人が来るのか、ここで待たせていただきます。その人にも、ぼくが南田さんを訪ねて来た理由をご説明します。そんな第三者を介入させるようなことは、南田さんご夫婦にとってもよくないと思うんです」

その仁志の言葉に、南田まり子は、さっきのは狂言電話なのだと言った。自分の夫には、そんな連中とのつきあいはない、と。

亭主は南田まり子の腕を軽く突き、せっかく芝居をしてやったのにと言って、奥の部屋へと消えた。

なるほど、「たちの悪い男」とはそういう意味なのかと仁志は思った。見かけはいいが人間としての力がない。おそらく、その場しのぎの口も達者なのであろう。けれども、なまけ者で根性なしの、ただのイケメンなのだ。いざというときに役に立たないどころか、すぐに逃げだす男なのだ。

仁志は、手帳を破って、二千円ずつ返済した場合の数字を書き、ここが勝負どころだが、たとえ月に二千円という少額ではあっても、長い年月にわたる返済を南田まり子に決心させる何かが必要だと考えた。

イケメンに惚《ほ》れて商売に失敗して以後、覇気を失ってしまったが、佐伯がいちどは信用した女なのだから、気丈さは消えてはいないだろう。素質はあるのだ。

仁志は、履物入れの上の二枚の紙きれに見入っている南田まり子に、コピーではなく本物の借用書を渡した。

「このふたつの返済のうちから、ひとつを選んで下さい。月に三千円か五千円かです。そしたら、この借用書を、いまこの場で破って下さって結構です」

南田まり子は、少し眉根《まゆね》を寄せ、顔を斜めにさせて、いぶかるように仁志を見つめてから、小声で言った。

「破ってしもたら、私が佐伯さんからお金を借りたという事実は消滅しますけど……」

「じゃあ、南田さんの思い出に残しといて下さい。もしかしたら、南田さんのお嬢さんが自分で何か商売を始めようとしたときに、佐伯さんかぼくに相談に来るかもしれません」

いったん受け取った借用書を履物入れの上に置き、仁志が紙きれに書いた数字を見つめ、南田まり子は、

「商売なんか、もうこりごりやわ」

と言って笑みを浮かべた。

ドアの向こうで足音が聞こえ、鍵穴《かぎあな》に鍵を差し込もうとしている音がした。

「あいてるで」

そう南田まり子が言うと、中学校の制服を着た女の子がドアをあけ、怪訝《けげん》そうに仁

志を見た。

「お邪魔しています」

と仁志は挨拶《あいさつ》をした。南田まり子の娘だったが、中学校の制服を着ていなかったら十歳くらいにしか見えない。いまどきの中学生にしてはよほど晩生《おくて》なのか、背だけが高くて、体に膨らみがなかった。

けれども、父親そっくりで、端正な顔立ちだった。

「お嬢さんに聞こえないほうがいいんじゃないでしょうか」

と仁志は小声で言った。

それには答えず、再び借用書を持つと、

「佐伯さんはお元気ですか？　もうお幾つになりはったんやろ」

と南田まり子は訊《き》いた。

「七十五です。膝《ひざ》が痛くて歩きにくいときがありますけど、お元気です」

その仁志の言葉を聞きながら、南田まり子は借用書を破りかけた。しかし、破らなかった。

仁志には、南田まり子が芝居がかった真似《まね》をしたのではないことがわかった。本気で破ろうとしたのだが、既《すんで》のところで自分の手を止めたのだ。

それから、借用書を仁志に渡し、テレビゲームの電子音がつづいている部屋に行くと、財布を持って戻って来て、千円札を三枚出した。

仁志はそれを受け取り、

「スタートですね」

と小声で言った。どんなに声を小さくしても、この天井の低い２ＤＫのマンションのなかにいる人間には聞こえているであろうと思った。

借用書を履物入れの上に戻そうとした仁志に、それは持って帰ってくれと南田まり子は怒ったような目で言った。

この人にはこの人の誇りや価値観があるのだ。仁志はそう思い、理由を訊かずに借用書を封筒にしまうと、受領書は後日郵送すると言った。

これからは、銀行振り込みでもいいし、現金書留で送ってくれてもいい。普通郵便でも大丈夫だと思う。

仁志はそう言って、南田まり子の住まいから出た。

階段を降りていると、部屋から出た南田まり子は、仁志のうしろから一定の間隔を置いたままついて来て、郵便受けの前に停めてある自転車を押して道に出た。

仁志は、ご主人はきょうは仕事は休みなのかと訊いた。

「二十四時間働いて、二十四時間休むっていう仕事ですねん」

南田まり子はそう答えて、自転車にまたがり、仁志とは反対側の方向へと漕《こ》いで行った。

その姿を見送ってから、仁志は駅からまっすぐ伸びている広い道へと歩きながら、背広の内ポケットから三枚の千円札を出した。

毎月三千円を、二十五年と六カ月間返済しつづけると南田まり子は決めたのだ。俺をとにかく追い出したくて三千円を払ったのではない。あの女は必ず返済しつづけるだろう。あの目を見ろ。人生を投げた人の目ではない。あの負けず嫌いな目。それにしても、本気で破りかけた借用書を、あの女はどうして俺に返したのであろう。

仁志は、もう南田まり子がいないことは承知しながらも振り返り、タツミ・ハイツの三階を見てから、広い道へと曲がった。

早く佐伯に報告したいという思いは強かったが、仁志はどこかでひとりになって気持ちを鎮《しず》めたかった。

近鉄電車の高架をくぐりかけて、駅前のビルの一階に喫茶店をみつけると、仁志はそこに入ってコーヒーを注文し、腕時計を見た。五時前だったが、喫茶店の窓から見える空も、アスファルト道を照らしている光も、夕方のものとは思えないほど明るかった。

仕事中で、見る余裕はないだろうと思いながらも、仁志は虎雄に、

「大仕事をやりとげた」

と携帯メールを送った。

五分もたたないうちに返事が届いた。

「ポトフを食べてもええ？」

こいつは俺のことなんかどうでもいいのだ。今晩何を食うかのほうが重要事なのだ。なんという友だち甲斐《がい》のないやつだ。

そう思っているうちに腹が立ってきて、

「くそォ、トラの正体見たり、や。こいつは腹をすかせたただの猫やったんや」

そう仁志は胸のなかで言い、

「あれは俺のポトフや。誰にも食わさん」

と再び携帯メールを送った。

またすぐ返事が来た。

「ケチ！」

仁志は携帯電話をポケットにしまい、椅子《いす》に背を凭《もた》せかけて全身の力を抜いた。しばらくそうしていると、たてつづけに欠伸《あくび》が出て来た。よほど神経が疲れたのだと仁志は思った。

あした、松江に着くためには、ここを何時に出発したらいいのだろう。

佐伯は、どういう道順で行くつもりなのか。新名神道から名神高速道路に入って西へ西へと進み、山陽地方のどこかから日本海のほうを目指すのがいちばん早いが、それでも五、六時間はかかるだろう。いや、もっとかかるかもしれない。

途中、どこかで昼食をとるのだから、朝の八時か九時に出たとしても、松江市内に入るのは夕方になる。ホテルを予約しておかなければならない。

そう考えている仁志の心のなかに、南田まり子と夫と娘の顔が浮かんだ。娘の顔を見たのは一瞬だったし、実際の年齢よりもうんと幼く感じたが、気の強そうな面構《つらがま》えだった。

目鼻立ちは父親に似て、気性は母親譲りといったところなのであろう。

亭主のあの狂言電話……。あれであの男の底が知れた。そしてそのことに気づかない六十過ぎのイケメン……。

俺は、さっき逢《あ》った南田家の三人を一生忘れないことだろう。とりわけ、南田まり子は、俺が手ぶらで帰らなくてもいいようにしてくれた。彼女にとっては、それは知ったことではなかったにしても、結果として、俺の生まれて初めての難仕事をやりとげさせてくれたありがたい人なのだ……。

仁志はコーヒーを半分ほど残してホテルへの帰路についた。「港口で船が沈む」とつぶやきながら、信号を走って渡った。

エレベーターのなかで、仁志は、佐伯に報告するときには、決して得意そうな表情をしてはならないと思い、手で軽く二回両頬を叩《たた》いた。

しかし、謙遜《けんそん》しすぎるのはなおいけない。

どういう顔をしていればいいのだろう。

佐伯の部屋の前に立ち、仁志は、ありのままでいいのだと思った。

ドアをノックして、

「ただいま帰りました」

そう言うと、佐伯はドアをあけて、

「どうだった」

と仁志の目を見つめて訊いた。

「南田さんは、毎月、三千円ずつという返済方法を選択されて、一回目の三千円を払ってくれました」

自分の声が少しうわずっているのを感じながら、仁志はそう報告し、部屋に入った。

「そうか、よくやったなァ。難しい仕事をよくやったもんだ。たいしたやつだ。坐《すわ》って、ビールでも飲んだらどうだ」

笑顔で言い、佐伯は自分よりも背の高い仁志を抱きかかえるようにして、窓ぎわの小さなソファのところにつれて行き、冷蔵庫から缶ビールを出した。

「いいえ、ビールは結構です。まだこのあと車を運転するかもしれませんし」

「ああ、そうだな。どこかに晩飯を食べに行かないとな」

と言い、佐伯はベッドに腰を降ろした。

「えらいもんだ。返済の約束だけじゃなく、一回目の三千円まで持って帰って来た。よくやったなァ」

親に褒められている幼児のような心持ちにひたりながら、仁志は南田まり子と逢ってからのやりとりをできるだけ正確に佐伯に話した。

「三千円は、ぼくが要求したんじゃありません。南田さんがそうなさったんです」

「彼女はお元気そうだったかい？」

「はい。中学生のお嬢さんとも逢いましたが、きれいな子でした。もっと大きくなったら、とても美人になりそうで」

「父親が美男子だからねェ。暑いだろう。背広の上着を脱いで、ゆっくりしなさい」

仁志は、佐伯の優しさが気味悪くなってきて、ここでうっかり調子に乗ったら、またどかーんと雷が落ちるぞと思った。

「腹は減ったかい？」

そう佐伯に笑顔で訊かれ、昼に食べた蒲焼きが多すぎて、まだ少し胃がもたれていると仁志は答えた。

どういう道順で松江に行くかを相談しようと思い、口をひらきかけたとき、仁志は北白川の喫茶店で渡された封筒は三通だったと気づいた。

一通は四日市市の南田まり子のぶんで、もう一通は松江に住む人であろうが、残りの一通はどこの誰なのかわからない。まだ見ていないからだ。

これはまずい。また叱《しか》られる。

仁志はそう考えて、

「ちょっと自分の部屋に行ってきます。すぐに戻ります」

と言い、ソファから立ちあがった。

すると、佐伯は、

「残りの封筒には目を通したか？」

と訊いた。

俺の考えていることは全部わかるのだろうかと不思議に思いながら、仁志は、まだ見ていませんと答えた。

「きみは、物事を三つ同時にできないのか。ぼくは、欠伸をしながら物を噛《か》めなんて反物理的なことを要求してるんじゃないんだぞ」

いままでの笑顔は何だったのかとあきれるほどに表情を一変させて、佐伯は言った。

あっ、いまのは志ん生の落語に出てくるセリフだ。「搗屋幸兵衛《つきやこうべえ》」だ。

佐伯さん、あれを聴きましたね、などとは言えず、言葉に詰まったまま、仁志は背広の内ポケットから二通の封筒を出した。

早く中身を見ろというふうに睨《にら》みつけて、佐伯はバスルームに行った。

仁志は立ったまま、二通の封筒の中身を出した。

島根県松江市の平尾哲子《ひらおてつこ》は残金八十万円。京都市伏見区の有村富恵《ありむらとみえ》は残金二百万円。

有村富恵のほうは平成十年に借りて以来、一円も返済していなかった。

パジャマに着換えてバスルームから出て来ると、佐伯は、灸《きゅう》をすえてくれと言った。

仁志は自分の部屋に行き、灸の道具を入れた袋を出しながら、いったい俺の給料はどこから出るのであろうと思った。

佐伯と三浦が今後もつづけていこうとしていることは営利を目的としていない。やり方を変えるといっても、そこのところに変化があろうとは思えない。

幾ら払ってくれるのかわからない礼金をあてにするわけにはいかないのだ。

仁志は、佐伯の部屋に戻り、ベッドの横に椅子を運ぶと、背広の上着を脱ぎ、ネクタイを外し、灸をすえる準備を整えてから、

「ぼくはもう職探しをしなくてもいいんでしょうか」

と訊いた。

「そうだ。きみは就職したんだ。ここへ来る道中で決めたんだろう?」

「はい、お世話になると決めました」

「給料は、ことしの大卒の初任給の平均額に二万円をプラスしよう。一から始めるつもりで頑張りなさい」

「ありがとうございます。でも、その給料はどこから出るんですか?」

佐伯はかすかに微笑《ほほえ》んで、いつものように体の左側を下にしてベッドに横になり、

「ぼくと一緒に商売を始めるんだ」

と言った。

火のついた線香を右手で持ったまま、仁志は佐伯を見つめた。佐伯はパジャマの裾《すそ》をめくりあげ、灸をすえながら話をしようと言った。

いつもの手順で灸をすえながら、仁志は佐伯が話しだすのを待った。

赤尾月子さんは六年前に子宮癌《がん》にかかった。治るか治らないか、微妙な段階でみつかって手術をして、抗癌剤治療も乗り切った。

いまのところ転移もないし、再発の兆候もない。当人はいたって元気だ。

しかし、闘病中に、考えることが多々あったようで、スパゲッティ専門店の「ツッキッコ」を閉めた。

商売を始めたころとは世の中も変わってしまい、本格的なパスタ料理など珍しくもなんともなくなり、「ツッキッコ」のスパゲッティはゲテモノと見られるようになった。

ひとつの時代が終わったのかもしれない。

月子さんはそう考えたのだ。

あのソースのお陰で、「ツッキッコ」は大繁盛《だいはんじょう》し、月子さんは祇園の花見小路に五階建てのビルを持った。いまそのビルの一階は京都で一、二の高級クラブに、二階は割烹《かっぽう》料理店に、三階はステーキ専門店に、四階は税理士事務所に貸している。五階は月子さんの事務所だ。

月子さんの娘は、東京の老舗《しにせ》の和菓子屋の跡取り息子と結婚したし、息子は大手の自動車メーカーの技術者として、アメリカにある子会社に出向している。

どちらも、母親の商売の跡を継ぐ気はないそうだ。

月子さんも充分な貯《たくわ》えがあり、花見小路のビルの賃貸料も毎月入って、何不自由のない生活だ。

おそらく、そんな諸々《もろもろ》を考慮して、月子さんは「ツッキッコ」を閉めたのだと思う。

しかし、病気を克服し、健康に自信が持てるようになるにしたがって、月子さんに持ち前の商魂が息を吹き返した。

新聞や雑誌で、幻のスパゲッティとして取りあげられ、かつてのファンたちの、復活を待ち望む声も多くなった。

自分の人生を一変させたあのソースは、月子さんのすべてなのだ。「ツッキッコ」を閉めたことで、あの独特のソースまでが消えて行ってしまうのは、あまりにも残念だ。

そう思っていたところに、「ツッキッコ」のスパゲッティの偽物《にせもの》が登場した。

いかにも「ツッキッコ」から暖簾《のれん》分けされたような謳《うた》い文句で、川端通りに開店した店のそれは、あのソースとは似て非なる代物《しろもの》だった。その店は、三カ月でつぶれたが、開店当初は客が列をなしたそうだ。

そこで喋《しゃべ》るのをやめて、佐伯は煙草《たばこ》をくわえた。そして、火をつけないまま、しばらく考えにひたる表情で、灸をすえる仁志の手の動きを見ていた。

「きみがすえてくれる灸は、なんともいえず気持ちがいいんだ。どうしてだろうねェ、しあわせな気分になるんだ。最初にすえてもらったときから、それは変わらないんだよ」

と佐伯は言った。

それがいかなるものであれ、人をしあわせにすることができる何物かを持つのは偉大な才能と力量だ。

鍼灸師《しんきゅうし》をめざす友だちの稽古《けいこ》台《だい》となったときに、ほんのお遊びで自分もいちどすえてみただけだから、宮津の夜の灸は、いわば初めての試みといってもいい。

それなのに、名人ではないかと感嘆するほどの技だった。

いったいなぜだろう。

飲み込みが早いのか、灸をすえることへの才を持って生まれたのか。

そのどちらもがあったとしても、それだけではない。この佐伯平蔵という老人の膝《ひざ》の痛みを、なんとかしてやわらげてやりたいという心の深さが、細いもぐさの先端から、何等かの力を伝えるのだ。一事は万事だ。

自分は、空理性とか、呪術《じゅじゅつ》性とかが伴うものは決して信じない。だが、心というものの凄《すご》さは信じる。

この坪木仁志というまだ三十歳の青年は、心がとてもきれいなのだ。人の痛みを我が痛みとできる心を持っている。

だが、その心を生涯持ちつづけるのは至難の業だ。前にも言ったが、人の心ほど移ろいやすいものはない。

三十歳のきみのきれいな心が、三十年後にどう汚れているか、誰にもわからない。人を見る尺度は三十年だと、ある人がぼくに言った。いまぼくは、その人の言葉の意味の深さがわかる。

無論、人生には何が起こるかわからない。

二歳で死ぬ人もいる。三十歳で死ぬ人もいる。百歳まで生きる人もいる。死に方も千差万別だ。不慮の事故に巻き込まれる場合もある。重い病気にかかる場合もある。避けられない天災に遭う場合もある。

しかし、そんなことは恐れるな。三十年後の自分を見せてやると決めろ。きみのいまのきれいな心を三十年間磨きつづけろ。

働いて働いて働き抜け。叱られて叱られて叱られつづけろ。

佐伯はそう淡々と語りつづけて、再び何か考え事をするように火のついていない煙草をくわえた。

仁志が、灸をほとんどすえ終わったころ、「ツッキッコ」を全国三十店舗にしようと佐伯は言った。きみがやるのだ、と。

仁志は最後の灸をすえる手が震えた。

佐伯に、心がとてもきれいだと評されたことで、自分に何か途轍《とてつ》もない新しい世界がひらけた心持ちになった。その大きな歓《よろこ》びが、線香を持つ指や手の震えを止めさせなかった。

灸の道具を袋にしまい、用があればいつでも部屋に電話をくれと言って、仁志は自分の部屋に行き、海とコンビナートと幾つかの工場が見える窓辺に立った。

三十年後の自分を佐伯に見てもらうことはできないのだという思いは湧《わ》いてこなかった。佐伯が生きている可能性はゼロに近いが、自分は三十年後の姿を必ず佐伯に見せると思ったのだ。

それは、佐伯平蔵が生きているかどうかとは異なる次元の問題なのだった。

佐伯から預かった大きな紙袋のなかには、領収書の用紙と佐伯の印鑑が入っていたので、仁志は、南田まり子への領収書を作成して、便箋《びんせん》に残金を書き、突然の訪問を詫《わ》びる文章も書き添え、封筒に入れて宛名《あてな》をしたためた。

今回の旅から帰ったら、佐伯は俺を赤尾月子に逢《あ》わせることだろう。そのソースがどれほど美味なるものであろうとも、食べ物商売というのは簡単ではない。うまければ客が来ると単純に考えてはならないのだ。

これまで二回、食べ物商売の会社に勤めたことがある。一度目は駅のなかにあるレストラン・チェーン店で、最初はアルバイトのウェイターだったが、三カ月目に店長代理という役になった。そこでは一年勤めた。

二度目は四年前だ。学生食堂とか社員食堂を運営する会社の営業部で、主に新たに工場を建てる企業を廻った。四月から正社員として採用すると言われてすぐに、会社の経営が急速に傾いた。

景気の悪化で、予定していた工場新設を中止するところが続出しただけでなく、経費削減のために社員食堂を閉鎖する企業が増えたのだ。

さまざまな商売のなかで、食べ物商売というのがいちばん難しいといってもいいくらいだと仁志は思った。

腕時計を見ると七時半で、眼下に見える四日市の街の中心部はいやに閑散としていて、歩いている人の数も走っている車も少なかった。仁志は久しぶりに父のことを思った。

父はなぜこの俺を嫌うのだろう。俺は確かに父の三人の息子のなかでは最もできが悪いようだ。それは自分でも認めざるをえない。

学校での成績もそうだし、つきあう友だちも、親の立場から見れば顔をしかめたくなる連中とばかり仲良くなる。

といっても、何かの悪事に走るというやつはひとりもいない。

極楽鳥のような服を着て来たり、髪を赤や黄に染めたり、ピアスの穴を二つも三つもあけたり、あちこちを改造したバイクに乗っていたり……。まあ、そんな程度だが、兄や弟の友だちとはまったく別人種で、揃《そろ》いも揃って勉強が苦手で、家に遊びに来ても、まともに挨拶《あいさつ》もできない。

しかし、兄や弟の友だちとは異なる良さをたくさん持っている。

それは何かと問われたら、「雑学」と答えるしかあるまい。受験勉強ではまったく役にたたないが、その雑学なるものは、街のどこかでならず者にからまれたときとか、誰かが、下手をしたら警察ざたになりかねない失敗をしたときとか、女友だちが男にひどい裏切り方をされて、放っておくと首でも吊《つ》るのではないかというときとか、とにかく世の中で起こるさまざまな事件で、理屈ではらちがあかない場合に、口八丁手八丁の知恵を編み出すのだ。

つまり、いざというときの「現場」で役にたつものを身につけているのだ。

俺はそういう連中が好きだ。しかし、彼等には共通の欠点がある。持続力がないのだ。

特技も素人《しろうと》の域を出ず、その機知はいわば瞬間芸にすぎず、心意気も決意も長つづきしない。

俺はいま中学や高校や大学で得た多くの友だちをそのように見ているが、この俺もまた彼等の目には似た種類の人間として映っているのかもしれない。

そこのところが、父にとってはどうにも我慢ならないのだとしても、自分の子供ではないか。

人間として、これだけはやってはいけないという愚を犯してもいないのに、犬や猫を捨てるように、この俺を勘当したのはなぜなのだ。つまりは、ただ単にこの仁志という次男が嫌いなのだ。自分の希望どおりに育たなかったからなのだ。

利己主義の、自分を偉いと思い込んでいる偽善者め。あんたが酔っぱらって人の悪口を言うときの醜い顔を鏡で見ろ。

中学生と小学生の息子がありながら、妻が死んで二年もたたずに新しい妻をめとったときの、浮かれ気分を隠すために作った気難しい表情を恥ずかしいとは思わないのか。三人の息子が、それぞれどんな気持ちで新しい母と接していたかを少しは考えたことがあるのか。

俺も自分の父が大嫌いだ。二度と逢いたくはない。俺はいちども父に褒められたという記憶はない……。

仁志は、夜になってしまった四日市の駅前の風景を見おろしながら、そう思った。するると、心がとてもきれいだ、と褒めてくれたときの佐伯の声と表情が浮かび出た。人間として、これ以上の褒められかたがあるだろうかと仁志は思った。

今後、叱《しか》られつづけるばかりだとしても、俺は最初にこれほどに褒めてもらったのだ。短い言葉で一生分褒めてもらった。もうそれで充分だ。

ここから先はずっと、叱られて叱られて叱られつづけるのだ。

仁志はそう自分に言い聞かせて、パソコンの電源を入れ、新しいファイルを作成すると、南田まり子の資料を書き込んでいった。

部屋の電話が鳴り、

「ぼくのCDをぼくのパソコンに入れてくれないか。志ん生のCDだよ」

と佐伯は言った。

仁志はすぐに佐伯の部屋に行き、パソコンとオーディオ・プレーヤーを受け取ると、自分はこれから佐伯さんをどう呼んだらいいかと訊《き》いた。

「先生と呼んでいいでしょうか」

「ぼくは、先生と呼ばれるような人間じゃないよ。これまでどおり、佐伯さんでいいよ。スパゲッティ屋の親父《おやじ》に『先生』はないだろう」

「じゃあ、『ツッキッコ』の社長になられるんですから『社長』とお呼びします」

「ぼくは肝心なときの相談役だ。社長は、ヒトシ、お前だ。お前がすべてを自分でやるんだ」

そして、佐伯は、いま赤尾月子と電話で話をして、松江への旅に一緒に行くことになったと言った。


（下巻へ続く）

宮本輝著
幻の光
愛する人を失った悲しい記憶を胸奥に秘めて、奥能登の板前の後妻として生きる、成熟した女の情念を描く表題作ほか3編を収める。

宮本輝著
錦繍
愛し合いながらも離婚した二人が、紅葉に染まる蔵王で十年を隔て再会した——。往復書簡が過去を埋め織りなす愛のタピストリー。

宮本輝著
ドナウの旅人（上・下）
母と若い愛人、娘とドイツ人の恋人——ドナウの流れに沿って東へ下る二組の旅人たちを通し、愛と人生の意味を問う感動のロマン。

宮本輝著
夢見通りの人々
ひと癖もふた癖もある夢見通りの住人たちが、ふと垣間見せる愛と孤独の表情を描いて忘れがたい印象を残すオムニバス長編小説。

宮本輝著
優駿（上・下）
吉川英治文学賞受賞
人びとの愛と祈り、ついには運命そのものを担って走りぬける名馬オラシオン。圧倒的な感動を呼ぶサラブレッド・ロマン！

宮本輝著
五千回の生死
「一日に五千回ぐらい、死にとうなったり、生きとうなったりする」男との奇妙な友情等、名手宮本輝の犀利な〝ナイン・ストーリーズ〟。

宮本輝著

螢川・泥の河

芥川賞・太宰治賞受賞

幼年期と思春期のふたつの視線で、人の世の哀歓を大阪と富山の二筋の川面に映し、生死を超えた命の輝きを刻む初期の代表作2編。

宮本輝著

道頓堀川

大阪ミナミの歓楽の街に生きる男と女たちの、人情の機微、秘めた情熱と屈折した思いを、青年の真率な視線でとらえた、長編第一作。

宮本輝著

私たちが好きだったこと

男女四人で暮したあの二年の日々。私たちは道徳的ではなかったけれど、決して不純ではなかった！ 無償の愛がまぶしい長編小説。

宮本輝著

月光の東

「月光の東まで追いかけて」。謎の言葉を残して消えた女を求め、男の追跡が始まった。凜冽な一人の女性の半生を描く、傑作長編小説。

宮本輝著

血の騒ぎを聴け

紀行、作家論、そして自らの作品の創作秘話まで、デビュー当時から二十年間書き継がれた、宮本文学を俯瞰する傑作エッセー集。

宮本輝著

草原の椅子（上・下）

虐待されて萎縮した幼児を預かった五十男二人は、人生の再構築とその子の魂の再生を期して壮大な旅に出た――。心震える傑作長編。

宮本輝著
流転の海
第一部

理不尽で我儘で好色な男の周辺に生起する幾多の波瀾。父と子の関係を軸に戦後生活の有為転変を力強く描く、著者畢生の大作。

宮本輝著
地の星
流転の海第二部

人間の縁の不思議、父祖の地のもたらす血の騒ぎ……。事業の志半ばで、郷里・南宇和に引きこもった松坂熊吾の雌伏の三年を描く。

宮本輝著
血脈の火
流転の海第三部

老母の失踪、洞爺丸台風の一撃……大阪へ戻った松坂熊吾一家を、復興期の日本の荒波が翻弄する。壮大な人間ドラマ第三部。

宮本輝著
天の夜曲
流転の海第四部

富山に妻子を置き、大阪で事業を始める松坂熊吾。苦闘する一家のドラマを高度経済成長期の日本を背景に描く、ライフワーク第四部。

宮本輝著
花の回廊
流転の海第五部

昭和三十二年、十歳の伸仁は、尼崎の叔母の元で暮らしはじめる。一方、熊吾は駐車場運営にすべてを賭ける。著者渾身の雄編第五部。

黒井千次著
高く手を振る日

50年の時を越え、置き忘れた恋の最終章が始まる。携帯メールがつなぐ老年世代の瑞々しい恋愛を描いて各紙誌絶賛の傑作小説。

川端康成著　雪国　ノーベル文学賞受賞

雪に埋もれた温泉町で、芸者駒子と出会った島村――ひとりの男の透徹した意識に映し出される女の美しさを、抒情豊かに描く名作。

川端康成著　伊豆の踊子

伊豆の旅に出た旧制高校生の私は、途中で会った旅芸人一座の清純な踊子に孤独な心を温かく解きほぐされる――表題作等4編。

川端康成著　愛する人達

円熟期の著者が、人生に対する限りない愛情をもって筆をとった名作集。秘かに愛を育てる娘ごころを描く「母の初恋」など9編を収録。

川端康成著　掌の小説

優れた抒情性と鋭く研ぎすまされた感覚で、独自な作風を形成した著者が、四十余年にわたって書き続けた「掌の小説」122編を収録。

川端康成著　山の音　野間文芸賞受賞

得体の知れない山の音を、死の予告のように怖れる老人を通して、日本の家がもつ重苦しさや悲しさ、家に住む人間の心の襞を捉える。

川端康成著　古都

捨子という出生の秘密に悩む京の商家の一人娘千重子は、北山杉の村で瓜二つの苗子を知る。ふたご姉妹のゆらめく愛のさざ波を描く。

井上靖著
猟銃・闘牛
芥川賞受賞

ひとりの男の十三年間にわたる不倫の恋を、妻・愛人・愛人の娘の三通の手紙によって浮彫りにした「猟銃」、芥川賞の「闘牛」等、3編。

井上靖著
あすなろ物語

あすは檜になろうと念願しながら、永遠に檜にはなれない〝あすなろ〟の木に託して、幼年期から壮年までの感受性の劇を謳った長編。

井上靖著
幼き日のこと・青春放浪

血のつながらない祖母と過した幼年時代――なつかしい昔を愛惜の念をこめて描く「幼き日のこと」他、「青春放浪」「私の自己形成史」。

井上靖著
しろばんば

野草の匂いと陽光のみなぎる、伊豆湯ヶ島の自然のなかで幼い魂はいかに成長していったか。著者自身の少年時代を描いた自伝小説。

井上靖著
夏《なつ》草《ぐさ》冬《ふゆ》濤《なみ》（上・下）

両親と離れて暮す洪作が友達や上級生との友情の中で明るく成長する青春の姿を体験をもとに描く、『しろばんば』につづく自伝的長編。

井上靖著
北の海（上・下）

高校受験に失敗しながら勉強もせず、柔道の稽古に明け暮れた青春の日々――若き日の自由奔放な生活を鎮魂の思いをこめて描く長編。

北杜夫著

夜と霧の隅で

芥川賞受賞

ナチスの指令に抵抗して、患者を救うために苦悩する精神科医たちを描き、極限状況下の人間の不安を捉えた表題作など初期作品5編。

北杜夫著

幽霊

―或る幼年と青春の物語―

大自然との交感の中に、激しくよみがえる幼時の記憶、母への慕情、少女への思慕――青年期のみずみずしい心情を綴った処女長編。

北杜夫著

楡家の人びと

（第一部～第三部）

毎日出版文化賞受賞

楡脳病院の七つの塔の下に群がる三代の大家族と、彼らを取り巻く近代日本五十年の歴史の流れ……日本人の夢と郷愁を刻んだ大作。

北杜夫著

どくとるマンボウ航海記

のどかな笑いをふりまきながら、青い空の下を小さな船に乗って海外旅行に出かけたどくとるマンボウ。独自の観察眼でつづる旅行記。

北杜夫著

どくとるマンボウ昆虫記

虫に関する思い出や伝説や空想を自然の観察を織りまぜて語り、美醜さまざまの虫と人間が同居する地球の豊かさを味わえるエッセイ。

北杜夫著

どくとるマンボウ青春記

爆笑を呼ぶユーモア、心にしみる抒情。マンボウ氏のバンカラとカンゲキの旧制高校生活が甦る、永遠の輝きを放つ若き日の記録。

遠藤周作著

白い人・黄色い人

芥川賞受賞

ナチ拷問に焦点をあて、存在の根源に神を求める意志の必然性を探る「白い人」、神をもたない日本人の精神的悲惨を追う「黄色い人」。

遠藤周作著

海と毒薬

毎日出版文化賞・新潮社文学賞受賞

何が彼らをこのような残虐行為に駆りたてたのか？　終戦時の大学病院の生体解剖事件を小説化し、日本人の罪悪感を追求した問題作。

遠藤周作著

留学

時代を異にして留学した三人の学生が、ヨーロッパ文明の壁に挑みながらも精神的風土の絶対的相違によって挫折してゆく姿を描く。

遠藤周作著

母なるもの

やさしく許す〝母なるもの〟を宗教の中に求める日本人の精神の志向と、作者自身の母性への憧憬とを重ねあわせてつづった作品集。

遠藤周作著

悲しみの歌

戦犯の過去を持つ開業医、無類のお人好しの外人……大都会新宿で輪舞のようにからみ合う人々を通し人間の弱さと悲しみを見つめる。

遠藤周作著

沈黙

谷崎潤一郎賞受賞

殉教を遂げるキリシタン信徒と棄教を迫られるポルトガル司祭。神の存在、背教の心理、東洋と西洋の思想的断絶等を追求した問題作。

三島由紀夫著

仮面の告白

女を愛することのできない青年が、幼年時代からの自己の宿命を凝視しつつ述べる告白体小説。三島文学の出発点をなす代表的名作。

三島由紀夫著

潮（しおさい）騒

新潮社文学賞受賞

明るい太陽と磯の香りに満ちた小島を舞台に海神の恩寵あつい若くたくましい漁夫と、美しい乙女が奏でる清純で官能的な恋の牧歌。

三島由紀夫著

金閣寺

読売文学賞受賞

どもりの悩み、身も心も奪われた金閣の美しさ――昭和25年の金閣寺焼失に材をとり、放火犯である若い学僧の破滅に至る過程を抉る。

三島由紀夫著

花ざかりの森・憂国

十六歳の時の処女作「花ざかりの森」以来、巧みな手法と完成されたスタイルを駆使して、確固たる世界を築いてきた著者の自選短編集。

三島由紀夫著

愛の渇き

郊外の隔絶された屋敷に舅と同居する未亡人悦子。夜ごと舅の愛撫を受けながらも、園丁の若い男に惹かれる彼女が求める幸福とは？

三島由紀夫著

盗賊

死ぬべき理由もないのに、自分たちの結婚式当夜に心中した一組の男女――精緻微妙な心理のアラベスクが描き出された最初の長編。

新潮文庫最新刊

宮本輝著
三十光年の星たち（上・下）

女にも逃げられた無職の若者に手をさしのべたのは、金貸しの老人だった。若者の再生を通して人生の意味を感動とともに描く巨編。

佐々木譲著
カウントダウン

この町を殺したのはお前だ！　青年市議と仲間たちは、二十年間支配を続けてきた市長に闘いを挑む。北海道に新たなヒーロー登場。

越谷オサム著
いとみち

相馬いと、十六歳。人見知りを直すため始めたのは、なんとメイドカフェのアルバイト！　思わず応援したくなる青春×成長ものがたり。

貫井徳郎著
灰色の虹

冤罪で人生の全てを失った男は、復讐を誓った。次々と殺される刑事、検事、弁護士……。復讐は許されざる罪か。長編ミステリー。

あさのあつこ著
たまゆら

島清恋愛文学賞受賞

山と人里の境界に住む日名子。その家を訪れた十八歳の真帆子の存在が、山に隠した過去の罪を炙り出す。恐ろしくも美しい恋愛小説。

北村薫著
飲めば都

本に酔い、酒に酔う文芸編集者「都」の恋の行方は？　本好き、酒好き女子必読、酔っぱらい体験もリアルな、ワーキングガール小説。

三十光《さんじゅっこう》年《ねん》の星《ほし》たち（上）

新潮文庫　み－12－17

平成二十五年十一月一日発行

著者　宮《みや》本《もと》輝《てる》

発行者　佐藤隆信

発行所　株式会社新潮社

郵便番号　一六二―八七一一
東京都新宿区矢来町七一
電話　編集部（〇三）三二六六―五四四〇
　　　読者係（〇三）三二六六―五一一一
http://www.shinchosha.co.jp

価格はカバーに表示してあります。

乱丁・落丁本は、ご面倒ですが小社読者係宛ご送付ください。送料小社負担にてお取替えいたします。

印刷・錦明印刷株式会社　製本・錦明印刷株式会社

ISBN978-4-10-130717-6　C0193